INGEBORG BACHMANN

DAS DREISSIGSTE JAHR

INGEBORG BACHMANN

DAS DREISSIGSTE JAHR

Erzählungen

R. PIPER & CO VERLAG
MÜNCHEN/ZÜRICH

ISBN 3-492-01046-6
5. Auflage, 29.–31. Tausend 1975

Gesetzt aus der Walbaum-Antiqua
Druck und Bindung: Graphische Werkstätten Kösel, Kempten
Printed in Germany

JUGEND
IN EINER ÖSTERREICHISCHEN STADT

An schönen Oktobertagen kann man, von der Radetzkystraße kommend, neben dem Stadttheater eine Baumgruppe in der Sonne sehen. Der erste Baum, der vor jenen dunkelroten Kirschbäumen steht, die keine Früchte bringen, ist so entflammt vom Herbst, ein so unmäßiger goldner Fleck, daß er aussieht, als wäre er eine Fackel, die ein Engel fallen gelassen hat. Und nun brennt er, und Herbstwind und Frost können ihn nicht zum Erlöschen bringen.
Wer möchte drum zu mir reden von Blätterfall und vom weißen Tod, angesichts dieses Baums, wer mich hindern, ihn mit Augen zu halten und zu glauben, daß er mir immer leuchten wird wie in dieser Stunde und daß das Gesetz der Welt nicht auf ihm liegt?
In seinem Licht ist jetzt auch die Stadt wieder zu erkennen, mit blassen genesenden Häusern unter dunklen Ziegelschöpfen, und der Kanal, der vom See hin und wieder ein Boot hineinträgt, das in ihrem Herzen anlegt. Wohl ist der Hafen tot, seit die Frachten schneller von Zügen und auf Lastwagen in die Stadt gebracht werden, aber von dem hohen Kai fallen noch Blüten und Obst hinunter aufs vertümpelte Wasser, der Schnee stürzt ab von den Ästen, das Tauwasser

läuft lärmend hinunter, und dann schwillt er gern noch einmal an und hebt eine Welle und mit der Welle ein Schiff, dessen buntes Segel bei unserer Ankunft gesetzt wurde.

In diese Stadt ist man selten aus einer anderen Stadt gezogen, weil ihre Verlockungen zu gering waren; man ist aus den Dörfern gekommen, weil die Höfe zu klein wurden, und hat am Stadtrand eine Unterkunft gesucht, wo sie am billigsten war. Dort waren auch noch Felder und Schottergruben, die großen Gärtnereien und die Bauplätze, auf denen jahrelang Rüben, Kraut und Bohnen, das Brot der ärmsten Siedler, geerntet wurden. Diese Siedler hoben ihre Keller selbst aus. Sie standen im Grundwasser. Sie zimmerten ihre Dachbalken selbst an den kurzen Abenden zwischen Frühling und Herbst und weiß Gott, ob sie ein Richtfest gesehen haben vor ihrem Absterben.

Ihren Kindern kam es darauf nicht an, denn die wurden schon eingeweiht in die unbeständigen Gerüche der Ferne, wenn die Kartoffelfeuer brannten und die Zigeuner sich, flüchtig und fremdsprachig, niederließen im Niemandsland zwischen Friedhof und Flugplatz.

In dem Mietshaus in der Durchlaßstraße müssen die Kinder die Schuhe ausziehen und in Strümpfen spielen, weil sie über dem Hausherrn wohnen. Sie dürfen nur flüstern und werden sich das Flüstern nicht mehr

abgewöhnen in diesem Leben. In der Schule sagen die Lehrer zu ihnen: Schlagen sollte man euch, bis ihr den Mund auftut. Schlagen . . . Zwischen dem Vorwurf, zu laut zu sein, und dem Vorwurf, zu leise zu sein, richten sie sich schweigend ein.
Die Durchlaßstraße hat ihren Namen nicht von dem Spiel, in dem die Räuber durchmarschieren, aber die Kinder dachten lange, das wäre so. Erst später, als die Beine sie weiter trugen, haben sie den Durchlaß gesehen, die kleine Unterführung, über die der Zug nach Wien fährt. Hier mußten die Neugierigen hindurch, die zum Flugfeld wollten, über die Felder, quer durch die Herbststickereien. Jemand ist auf die Idee gekommen, den Flugplatz neben den Friedhof zu legen, und die Leute in K. meinten, es sei günstig für die Beerdigung der Piloten, die eine Zeitlang Übungsflüge machten. Die Piloten taten niemand den Gefallen, abzustürzen. Die Kinder brüllten immer: Ein Flieger! Ein Flieger! Sie hoben ihnen die Arme entgegen, als wollten sie sie einfangen, und starrten in den Wolkenzoo, in dem sich die Flieger zwischen Tierköpfen und Larven bewegten.
Die Kinder lösen von den Schokoladetafeln das Silberpapier und flöten darauf ›Das Maria Saaler G'läut‹. Die Kinder lassen sich in der Schule von einer Ärztin den Kopf nach Läusen absuchen. Die Kinder wissen nicht, wieviel es geschlagen hat, denn die Uhr auf der Stadtpfarrkirche ist stehengeblieben. Sie kommen immer zu spät von der Schule heim. Die Kinder! (Sie

wissen zur Not, wie sie heißen, aber sie horchen nur auf, wenn man sie »Kinder« ruft.)
Aufgaben: Unter- und Oberlängen, steilschriftig, Übungen im Horizontgewinn und Traumverlust, auswendig Gelerntes auf Gedächtnisstützen. In der Ausdünstung von Ölböden, von ein paar Hundert Kinderleben, Zwergenmänteln, verbranntem Radiergummi, zwischen Tränen und Tadel, Eckenstehen, Knien und unstillbarem Schwätzen sind zu leisten: ein Alphabet und das Einmaleins, eine Rechtschreibung und zehn Gebote.
Die Kinder legen alte Worte ab und neue an. Sie hören vom Berg Sinai und sie sehen den Ulrichsberg mit seinen Rübenfeldern, Lärchen und Fichten, von Zeder und Dornbusch verwirrt, und sie essen Sauerampfer und nagen die Maiskolben ab, eh sie hart und reif werden, oder tragen sie nach Hause, um sie auf der Holzglut zu rösten. Die nackten Kolben verschwinden in der Holzkiste und werden zum Unterzünden verwendet, und Zeder und Ölbaum wurden nachgelegt, schwelten darauf, wärmten aus der Ferne und warfen Schatten auf die Wand.
Zeit der Trophäen, Zeit der Weihnachten, ohne Blick voraus, ohne Blick zurück, Zeit der Kürbisnächte, der Geister und Schrecken ohne Ende. Im Guten, im Bösen: hoffnungslos.
Die Kinder haben keine Zukunft. Sie fürchten sich vor der ganzen Welt. Sie machen sich kein Bild von ihr, nur von dem Hüben und Drüben, denn es läßt

sich mit Kreidestrichen begrenzen. Sie hüpfen auf einem Bein in die Hölle und springen mit beiden Beinen in den Himmel.
Eines Tages ziehen die Kinder um in die Henselstraße. In ein Haus ohne Hausherr, in eine Siedlung, die unter Hypotheken zahm und engherzig ausgekrochen ist. Sie wohnen zwei Straßen weit von der Beethovenstraße, in der alle Häuser geräumig und zentralgeheizt sind, und eine Straße weit von der Radetzkýstraße, durch die, elektrischrot und großmäulig, die Straßenbahn fährt. Sie sind Besitzer eines Gartens geworden, in dem vorne Rosen gepflanzt werden und hinten kleine Apfelbäume und Ribiselsträucher. Die Bäume sind nicht größer als sie selber, und sie sollen miteinander groß werden. Sie haben links eine Nachbarschaft mit Boxerhund, und rechts Kinder, die Bananen essen, Reck und Ringe im Garten aufgemacht haben und schwingend den Tag verbringen. Sie freunden sich mit dem Hund Ali an und rivalisieren mit den Nachbarskindern, die alles besser können und besser wissen.
Noch lieber sind sie unter sich, nisten sich auf dem Dachboden ein und schreien manchmal laut im Versteck, um ihre verkrüppelten Stimmen auszuprobieren. Sie stoßen leise kleine Rebellenschreie vor Spinnennetzen aus.
Der Keller ist ihnen verleidet von Mäusen und vom Äpfelgeruch. Jeden Tag hinuntergehen, die faulen Bluter heraussuchen, ausschneiden und essen! Weil

der Tag nie kommt, an dem alle faulen Äpfel gegessen sind, weil immer Äpfel nachfaulen und nichts weggeworfen werden darf, hungert sie nach einer fremden verbotenen Frucht. Sie mögen die Äpfel nicht, die Verwandten und die Sonntage, an denen sie auf dem Kreuzberg über dem Haus spazierengehen müssen, Blumen bestimmend, Vögel bestimmend.

Im Sommer blinzeln die Kinder durch grüne Läden in die Sonne, im Winter bauen sie einen Schneemann und stecken ihm Kohlenstücke an Augenstatt. Sie lernen Französisch. Madeleine est une petite fille. Elle est à la fenêtre. Elle regarde la rue. Sie spielen Klavier. Das Champagnerlied. Des Sommers letzte Rose. Frühlingsrauschen.

Sie buchstabieren nicht mehr. Sie lesen Zeitungen, aus denen der Lustmörder entspringt. Er wird zum Schatten, den die Bäume in der Dämmerung werfen, wenn man von der Religionsstunde heimkommt, und er ruft das Geräusch des bewegten Flieders längs der Vorgärten hervor; die Schneeballbüsche und der Phlox teilen sich und geben einen Augenblick lang seine Gestalt preis. Sie fühlen den Griff des Würgers, das Geheimnis, das sich im Wort Lust verbirgt und das mehr zu fürchten ist als der Mörder.

Die Kinder lesen sich die Augen wund. Sie sind übernächtig, weil sie abends zu lang im wilden Kurdistan waren oder bei den Goldgräbern in Alaska. Sie liegen auf der Lauer bei einem Liebesdialog und möchten ein

Wörterbuch haben für die unverständliche Sprache. Sie zerbrechen sich den Kopf über ihre Körper und einen nächtlichen Streit im Elternzimmer. Sie lachen bei jeder Gelegenheit, sie können sich kaum halten und fallen von der Bank vor Lachen, stehen auf und lachen weiter, bis sie Krämpfe bekommen.

Der Lustmörder wird aber bald in einem Dorf gefunden, im Rosental, in einem Schuppen, mit Heufransen und dem grauen Fotonebel im Gesicht, der ihn für immer unerkennbar macht, nicht nur in der Morgenzeitung.

Es ist kein Geld im Haus. Keine Münze fällt mehr ins Sparschwein. Vor Kindern spricht man nur in Andeutungen. Sie können nicht erraten, daß das Land im Begriff ist, sich zu verkaufen und den Himmel dazu, an dem alle ziehen, bis er zerreißt und ein schwarzes Loch freigibt.

Bei Tisch sitzen die Kinder still da, kauen lang an einem Bissen, während es im Radio gewittert und die Stimme des Nachrichtensprechers wie ein Kugelblitz in der Küche herumfährt und verendet, wo der Kochdeckel sich erschrocken über den zerplatzten Kartoffeln hebt. Die Lichtleitung wird unterbrochen. Auf den Straßen ziehen Kolonnen von Marschierenden. Die Fahnen schlagen über den Köpfen zusammen. ». . . bis alles in Scherben fällt«, so wird gesungen draußen. Das Zeitzeichen ertönt, und die Kinder gehen dazu über, sich mit geübten Fingern stumme Nachrichten zu geben.

Die Kinder sind verliebt und wissen nicht in wen. Sie kauderwelschen, spintisieren sich in eine unbestimmbare Blässe, und wenn sie nicht mehr weiterwissen, erfinden sie eine Sprache, die sie toll macht. Mein Fisch. Meine Angel. Mein Fuchs. Meine Falle. Mein Feuer. Du mein Wasser. Du meine Welle. Meine Erdung. Du mein Wenn. Und du mein Aber. Entweder. Oder. Mein Alles . . . mein Alles . . . Sie stoßen einander, gehen mit Fäusten aufeinander los und balgen sich um ein Gegenwort, das es nicht gibt.
Es ist nichts. Diese Kinder!
Sie fiebern, sie erbrechen sich, haben Schüttelfrost, Angina, Keuchhusten, Masern, Scharlach, sie sind in der Krise, sind aufgegeben, sie hängen zwischen Tod und Leben, und eines Tages liegen sie fühllos und morsch da, mit neuen Gedanken über Alles. Man sagt ihnen, daß der Krieg ausgebrochen ist.
Noch einige Winter lang, bis die Bomben sein Eis hochjagen, kann man auf dem Teich unter dem Kreuzberg schlittschuhlaufen. Der feine Glasboden in der Mitte ist den Mädchen in den Glockenröcken vorbehalten, die Innenbogen, Außenbogen und Achter fahren; der Streifen rundherum gehört den Schnelläufern. In der Wärmestube ziehen die größeren Burschen den größeren Mädchen die Schlittschuhe an und berühren mit den Ohrenschützern das schwanenhalsige Leder über mageren Beinen. Man muß angeschraubte Kufen haben, um für voll zu gelten, und wer, wie die Kinder, nur einen Holzschlittschuh mit

Riemen hat, weicht in die verwehten Teichecken aus oder schaut zu.
Am Abend, wenn die Läufer und Läuferinnen aus den Schuhen geschlüpft sind, sie über die Schultern hängen haben und abschiednehmend auf die Holztribüne treten, wenn alle Gesichter, frisch und jungen Monden gleich, durch die Dämmerung scheinen, gehen die Lichter an unter den Schneeschirmen. Die Lautsprecher werden aufgedreht, und die sechzehnjährigen Zwillinge, die stadtbekannt sind, kommen die Holzstiege hinunter, er in blauen Hosen und weißem Pullover und sie in einem blauen Nichts über dem fleischfarbenen Trikot. Sie warten gelassen den Auftakt ab, eh sie von der vorletzten Stufe – sie mit einem Flügelschlag und er mit dem Sprung eines herrlichen Schwimmers – auf das Eis hinausstürzen und mit ein paar tiefen, kraftvollen Zügen die Mitte erreichen. Dort setzt sie zur ersten Figur an, und er hält ihr einen Reifen aus Licht, durch den sie, umnebelt, springt, während die Grammophonnadel zu kratzen beginnt und die Musik zerscharrt. Die alten Herren weiten unter bereiften Brauen die Augen, und der Mann mit der Schneeschaufel, der die Langlaufbahn um den Teich kehrt, mit seinen von Lumpen umwickelten Füßen, stützt sein Kinn auf den Schaufelstiel und folgt den Schritten des Mädchens, als führten sie in die Ewigkeit.
Die Kinder kommen noch einmal ins Staunen: die nächsten Christbäume fallen wirklich vom Himmel.

Feurig. Und das Geschenk, das sie dazu nicht erwartet haben, ist für die Kinder mehr freie Zeit.
Sie dürfen bei Alarm die Hefte liegen lassen und in den Bunker gehen. Später dürfen sie Süßigkeiten für die Verwundeten sparen oder Socken stricken und Bastkörbe flechten für die Soldaten, für die auf der Erde, in der Luft und im Wasser. Und derer gedenken, in einem Aufsatz, unter der Erde und auf dem Grund. Und noch später dürfen sie Laufgräben ausheben zwischen dem Friedhof und dem Flugfeld, das dem Friedhof schon Ehre macht. Sie dürfen ihr Latein vergessen und die Motorengeräusche am Himmel unterscheiden lernen. Sie müssen sich nicht mehr so oft waschen; um die Fingernägel kümmert sich niemand mehr. Die Kinder flicken ihre Sprungseile, weil es keine neuen mehr gibt, und unterhalten sich über Zeitzünder und Tellerbomben. Die Kinder spielen ›Laßt die Räuber durchmarschieren‹ in den Ruinen, aber manchmal hocken sie nur da, starren vor sich hin und hören nicht mehr drauf, wenn man sie »Kinder« ruft. Es gibt genug Scherben für Himmel und Hölle, aber die Kinder schlottern, weil sie durchnäßt sind und frieren.
Kinder sterben, und die Kinder lernen die Jahreszahlen von den Siebenjährigen und Dreißigjährigen Kriegen, und es wäre ihnen gleich, wenn sie alle Feindschaften durcheinanderbrächten, den Anlaß und die Ursache, für deren genaue Unterscheidung man in der Geschichtsstunde eine gute Note bekommen kann.

Sie begraben den Hund Ali und dann seine Herrschaft. Die Zeit der Andeutungen ist zu Ende. Man spricht vor ihnen von Genickschüssen, vom Hängen, Liquidieren, Sprengen, und was sie nicht hören und sehen, riechen sie, wie sie die Toten von St. Ruprecht riechen, die man nicht ausgraben kann, weil das Kino darübergefallen ist, in das sie heimlich gegangen sind, um die ›Romanze in Moll‹ zu sehen. Jugendliche waren nicht zugelassen, aber dann waren sie es doch, zu dem großen Sterben und Morden ein paar Tage später und alle Tage danach.
Es ist nie mehr Licht im Haus. Kein Glas im Fenster. Keine Tür in der Angel. Niemand rührt sich und niemand erhebt sich.
Die Glan fließt nicht aufwärts und abwärts. Der kleine Fluß steht, und das Schloß Zigulln steht und erhebt sich nicht.
Der heilige Georg steht auf dem Neuen Platz, steht mit der Keule, und erschlägt den Lindwurm nicht. Daneben die Kaiserin steht und erhebt sich nicht.
O Stadt. Stadt. Ligusterstadt, aus der alle Wurzeln hängen. Kein Licht und kein Brot sind im Haus. Zu den Kindern gesagt: Still, seid still vor allem.
In diesen Mauern, zwischen den Ringstraßen, wieviel Mauern sind da noch? Der Vogel Wunderbar, lebt er noch? Er hat geschwiegen sieben Jahr. Sieben Jahr sind um. Du mein Ort, du kein Ort, über Wolken, unter Karst, unter Nacht, über Tag, meine Stadt und mein Fluß. Ich deine Welle, du meine Erdung.

Stadt mit dem Viktringerring und St. Veiterring . . . Alle Ringstraßen sollen genannt sein mit ihren Namen wie die großen Sternstraßen, die auch nicht größer waren für Kinder, und alle Gassen, die Burggasse und die Getreidegasse, ja, so hießen sie, die Paradeisergasse, die Plätze nicht zu vergessen, der Heuplatz und der Heilige-Geist-Platz, damit hier alles genannt ist, ein für allemal, damit alle Plätze genannt sind. Welle und Erdung.
Und eines Tages stellt den Kindern niemand mehr ein Zeugnis aus, und sie können gehen. Sie werden aufgefordert, ins Leben zu treten. Der Frühling kommt nieder mit klaren wütenden Wassern und gebiert einen Halm. Man braucht den Kindern nicht mehr zu sagen, daß Frieden ist. Sie gehen fort, die Hände in ausgefransten Taschen und mit einem Pfiff, der sie selber warnen soll.

Weil ich, in jener Zeit, an jenem Ort, unter Kindern war und wir neuen Platz gemacht haben, gebe ich die Henselstraße preis, auch den Blick auf den Kreuzberg, und nehme zu Zeugen all die Fichten, die Häher und das beredte Laub. Und weil mir zum Bewußtsein kam, daß der Wirt keinen Groschen mehr für eine leere Siphonflasche gibt und für mich auch keine Limonade mehr ausschenkt, überlasse ich anderen den Weg durch die Durchlaßstraße und ziehe den Mantelkragen höher, wenn ich sie blicklos überquere, um hinaus zu den Gräbern zu kommen, ein Durchreisender, dem niemand seine Herkunft ansieht. Wo die Stadt aufhört, wo die Gruben sind, wo die Siebe voll Geröllresten stehen und der Sand zu singen aufgehört hat, kann man sich niederlassen einen Augenblick und das Gesicht in die Hände geben. Man weiß dann, daß alles war, wie es war, daß alles ist, wie es ist, und verzichtet, einen Grund zu suchen für alles. Denn da ist kein Stab, der dich berührt, keine Verwandlung. Die Linden und der Holunderstrauch . . .? Nichts rührt dir ans Herz. Kein Gefälle früher Zeit, kein erstandenes Haus. Und nicht der Turm von Zigulln, die zwei gefangenen Bären, die Teiche, die Rosen, die Gärten voll Goldregen. Im bewegungslosen Erinnern, vor der Abreise, vor allen Abreisen, was soll uns aufgehen? Das Wenigste ist da, um uns einzuleuchten, und die Jugend gehört nicht dazu, auch die Stadt nicht, in der sie stattgehabt hat. Nur wenn der Baum vor dem Theater das Wunder tut, wenn die Fackel brennt, gelingt es mir, wie im Meer die Wasser, alles sich mischen zu sehen: die frühe Dunkelhaft mit den Flügen über Wolken in Weißglut; den Neuen Platz und seine törichten Denkmäler mit einem Blick auf Utopia; die Sirenen von damals mit dem Liftgeräusch in einem Hochhaus; die trockenen Marmeladebrote mit einem Stein, auf den ich gebissen habe am Atlantikstrand.

DAS DREISSIGSTE JAHR

Wenn einer in sein dreißigstes Jahr geht, wird man nicht aufhören, ihn jung zu nennen. Er selber aber, obgleich er keine Veränderungen an sich entdecken kann, wird unsicher; ihm ist, als stünde es ihm nicht mehr zu, sich für jung auszugeben. Und eines Morgens wacht er auf, an einem Tag, den er vergessen wird, und liegt plötzlich da, ohne sich erheben zu können, getroffen von harten Lichtstrahlen und entblößt jeder Waffe und jeden Muts für den neuen Tag. Wenn er die Augen schließt, um sich zu schützen, sinkt er zurück und treibt ab in eine Ohnmacht, mitsamt jedem gelebten Augenblick. Er sinkt und sinkt, und der Schrei wird nicht laut (auch er ihm genommen, alles ihm genommen!), und er stürzt hinunter ins Bodenlose, bis ihm die Sinne schwinden, bis alles aufgelöst, ausgelöscht und vernichtet ist, was er zu sein glaubte. Wenn er das Bewußtsein wieder gewinnt, sich zitternd besinnt und wieder zur Gestalt wird, zur Person, die in Kürze aufstehen und in den Tag hinaus muß, entdeckt er in sich aber eine wundersame neue Fähigkeit. Die Fähigkeit, sich zu erinnern. Er erinnert sich nicht wie bisher, unverhofft oder weil er es wünschte, an dies und jenes, sondern mit einem schmerzhaften Zwang an alle seine Jahre, flächige und tiefe, und an alle Orte, die er eingenommen hat in den Jahren. Er wirft das Netz Erinnerung aus, wirft es über sich und zieht sich selbst, Erbeuter und Beute in einem, über die Zeitschwelle, die Ortschwelle, um zu sehen, wer er war und wer er geworden ist.

Denn bisher hat er einfach von einem Tag zum andern gelebt, hat jeden Tag etwas anderes versucht und ist ohne Arg gewesen. Er hat so viele Möglichkeiten für sich gesehen und er hat, zum Beispiel, gedacht, daß er alles mögliche werden könne:

Ein großer Mann, ein Leuchtfeuer, ein philosophischer Geist.

Oder ein tätiger, tüchtiger Mann; er sah sich beim Brückenbau, beim Straßenbau, im Drillich, sah sich verschwitzt herumgehen im Gelände, das Land vermessen, aus einer Blechbüchse eine dicke Suppe löffeln, einen Schnaps trinken mit den Arbeitern, schweigend. Er verstand sich nicht auf viele Worte.

Oder ein Revolutionär, der den Brand an den vermorschten Holzboden der Gesellschaft legte; er sah sich feurig und beredt, zu jedem Wagnis aufgelegt. Er begeisterte, er war im Gefängnis, er litt, scheiterte und errang den ersten Sieg.

Oder ein Müßiggänger aus Weisheit – jeden Genuß suchend und nichts als Genuß, in der Musik, in Büchern, in alten Handschriften, in fernen Ländern, an Säulen gelehnt. Er hatte ja nur dieses eine Leben zu leben, dieses eine Ich zu verspielen, begierig nach

Glück, nach Schönheit, geschaffen für Glück und süchtig nach jedem Glanz!
Mit den extremsten Gedanken und den fabelhaftesten Plänen hatte er sich darum jahrelang abgegeben, und weil er nichts war außer jung und gesund, und weil er noch so viel Zeit zu haben schien, hatte er zu jeder Gelegenheitsarbeit ja gesagt. Er gab Schülern Nachhilfestunden für ein warmes Essen, verkaufte Zeitungen, schaufelte Schnee für fünf Schilling die Stunde und studierte daneben die Vorsokratiker. Er konnte nicht wählerisch sein und ging darum zu einer Firma als Werkstudent, kündigte wieder, als er bei einer Zeitung unterkam; man ließ ihn Reportagen schreiben über einen neuen Zahnbohrer, über Zwillingsforschung, über die Restaurationsarbeiten am Stephansdom. Dann machte er sich eines Tages ohne Geld auf die Reise, hielt Autos an, benutzte Adressen, die ihm ein Bursche, den er kaum kannte, von jemand Dritten gegeben hatte, blieb da und dort und zog weiter. Er trampte durch Europa, kehrte dann aber, einem plötzlichen Entschluß folgend, um, bereitete sich auf Prüfungen für einen nützlichen Beruf vor, den er aber nicht als seinen endgültigen ansehen wollte, und er bestand die Prüfungen. Bei jeder Gelegenheit hatte er ja gesagt zu einer Freundschaft, zu einer Liebe, zu einem Ansinnen, und all dies immer auf Probe, auf Abruf. Die Welt schien ihm kündbar, er selbst sich kündbar.
Nie hat er einen Augenblick befürchtet, daß der Vor-

hang, wie jetzt, aufgehen könne vor seinem dreißigsten Jahr, daß das Stichwort fallen könne für ihn, und er zeigen müsse eines Tages, was er wirklich zu denken und zu tun vermochte, und daß er eingestehen müsse, worauf es ihm wirklich ankomme. Nie hat er gedacht, daß von tausendundeiner Möglichkeit vielleicht schon tausend Möglichkeiten vertan und versäumt waren – oder daß er sie hatte versäumen müssen, weil nur eine für ihn galt.
Nie hat er bedacht . . .
Nichts hat er befürchtet.
Jetzt weiß er, daß auch er in der Falle ist.

Es ist ein regnerischer Juni, mit dem dieses Jahr beginnt. Früher ist er verliebt gewesen in diesen Monat, in dem er geboren ist, in den frühen Sommer, in sein Sternbild, in die Verheißung von Wärme und guten Einflüssen guter Gestirne.
Er ist nicht mehr verliebt in seinen Stern.

Und es wird ein warmer Juli.
Unruhe überfällt ihn. Er muß die Koffer packen, sein Zimmer, seine Umgebung, seine Vergangenheit kündigen. Er muß nicht nur verreisen, sondern weggehen. Er muß frei sein in diesem Jahr, alles aufgeben, den Ort, die vier Wände und die Menschen wechseln. Er muß die alten Rechnungen begleichen, sich abmel-

den bei einem Gönner, bei der Polizei und der Stammtischrunde. Damit er alles los und ledig wird. Er muß nach Rom gehen, dorthin zurück, wo er am freiesten war, wo er vor Jahren sein Erwachen, das Erwachen seiner Augen, seiner Freude, seiner Maßstäbe und seiner Moral erlebt hat.
Sein Zimmer ist schon ausgeräumt, aber einiges liegt herum, von dem er nicht weiß, was damit geschehen soll: Bücher, Bilder, Prospekte von Küstenlandschaften, Stadtpläne und eine kleine Reproduktion, von der ihm nicht einfällt, woher er sie hat. ›L'espérance‹ heißt das Bild von Puvis de Chavannes, auf dem die Hoffnung, keusch und eckig, mit einem zaghaft grünenden Zweig in der Hand, auf einem weißen Tuch sitzt. Im Hintergrund hingetupft – einige schwarze Kreuze; in der Ferne – fest und plastisch, eine Ruine; über der Hoffnung – ein rosig verdämmernder Streif Himmel, denn es ist Abend, es ist spät, und die Nacht zieht sich zusammen. Obwohl die Nacht nicht auf dem Bild ist – sie wird kommen! Über das Bild der Hoffnung und die kindliche Hoffnung selbst wird sie hereinbrechen und sie wird diesen Zweig schwärzen und verdorren machen.
Aber das ist nur ein Bild. Er wirft es weg.
Dann liegt da noch ein feiner Seidenschal mit einem Riß, von Staub parfümiert. Ein paar Muscheln. Steine, die er aufgehoben hat, als er nicht allein übers Land ging. Eine vertrocknete Rose, die er, als sie frisch war, nicht weggeschickt hat. Briefe, die beginnen mit

»Liebster«, »Mein Geliebter«, »Du, mein Du«, »Ach«. Und das Feuer frißt sie mit einem raschen »Ach« und rollt und bröckelt eine feine Aschenhaut. Er verbrennt die Briefe alle.

Er wird sich von den Menschen lösen, die um ihn sind, möglichst nicht zu neuen gehen. Er kann nicht mehr unter Menschen leben. Sie lähmen ihn, haben ihn sich zurechtgelegt nach eigenem Gutdünken. Man geht, sowie man eine Zeitlang an einem Ort ist, in zu vielen Gestalten, Gerüchtgestalten, um und hat immer weniger Recht, sich auf sich selbst zu berufen. Darum möchte er sich, von nun an und für immer, in seiner wirklichen Gestalt zeigen. Hier, wo er seit langem seßhaft ist, kann er nicht damit beginnen, aber dort wird er es tun, wo er frei sein wird.

Er kommt an und trifft in Rom auf die Gestalt, die er den anderen damals zurückgelassen hat. Sie wird ihm aufgezwungen wie eine Zwangsjacke. Er tobt, wehrt sich, schlägt um sich, bis er begreift und stiller wird. Man läßt ihm keine Freiheit, weil er sich erlaubt hat, früher und als er jünger war, hier anders gewesen zu sein. Er wird sich nie und nirgends mehr befreien können, von vorn beginnen können. So nicht. Er wartet ab.

Er trifft Moll wieder. Moll, dem immer geholfen werden mußte. Moll, der sonst an den Menschen zweifelte, Moll, der verlangt, daß man sich an ihm bewährt, Moll, dem er vor langer Zeit sein ganzes Geld geborgt hat, Moll, der auch Elena kannte . . . Moll, jetzt im Glück, gibt ihm das Geld nicht zurück und ist deswegen schwierig im Umgang und leicht beleidigt. Moll, den er seinerzeit zu allen seinen Freunden gebracht hat, dem er alle Türen geöffnet hat, weil er so hilfsbedürftig war, hat sich inzwischen überall eingenistet und ihn in Verruf gebracht mit kleinen, fein dosierten Geschichten, nacherzählten, leicht gefälschten Äußerungen. Moll ruft täglich an und ist überall, wo er hingeht. Moll sorgt sich um ihn, erschleicht sich Bekenntnisse, die er an der nächsten Ecke an den Nächstbesten weitergibt und nennt sich seinen Freund. Wo Moll nicht ist, ist Molls Schatten, riesig und bedrohlicher noch in den Gedanken und Phantasien. Moll ohne Ende. Molls Terror. Moll selbst aber ist um vieles kleiner, rächt sich nur erstaunlich geschickt dafür, daß er ihm etwas schuldig ist.

Dieses Jahr beginnt schlecht. Er wird inne, daß die Gemeinheit möglich ist und daß sie ihn erreichen kann, ja schon des öfteren ihm nahe gekommen ist, aber diesmal wirft sie sich mit Gewalt über ihn und erstickt ihn. Und es ist ihm plötzlich gewiß, daß diese Gemeinheit eine lange Geschichte haben, sich auswachsen und sein Leben durchziehen wird. Ihre Säure wird ihn immer wieder ätzen, ihn brennen, wenn er nicht mehr darauf gefaßt sein wird. Auf Moll war er nicht gefaßt.

Auf viele Moll muß er sich noch gefaßt machen, er kennt ihrer schon zu viele da und dort; erst jetzt begreift er an dem einen Moll, daß da nicht nur einer ist.

In diesem Jahr wird er irre und weiß nicht, ob er je Freunde hatte, ob er je geliebt worden ist. Ein Blitz beleuchtet alle seine Bindungen, alle Umstände, Abschiede, und er fühlt, daß er betrogen und verraten ist.

Er trifft Elena wieder. Elena, die ihm zu verstehen gibt, daß sie ihm verziehen hat. Er versucht, dankbar zu sein. Daß sie ihn erpreßt und bedroht hat, ohne Verstand in ihrer Wut war und seine Existenz vernichten wollte – und das ist erst wenige Jahre her – begreift sie selbst kaum mehr. Sie ist zur Freundschaft bereit, liebenswürdig, spricht klug, nachsichtig, wehmütig, denn sie ist jetzt verheiratet. Er war damals kurze Zeit von ihr getrennt gewesen, hatte sie, wie er sich selbst zugab, aufs dümmste betrogen. An den Rest denkt er widerwillig: an ihre Rache, seine Flucht, seine Verluste, die Wiedergutmachungen, die Scham, auch die Reue, die erneute Werbung. Jetzt hat sie ein Kind, aber als er sie arglos danach fragt, gibt sie lächelnd und zögernd zu, daß sie eben damals, in der Zeit der Trennung, schwanger geworden sei. Sie scheint einen Augenblick lang bedrückt, nicht länger. Er staunt über ihre Ruhe, ihre Gelassenheit. Er denkt, empfindungslos und ohne Erregung, daß ihr Zorn damals also geheuchelt war, daß sie keinen Grund gehabt habe für ihre Selbstgerechtigkeit, kein Recht zu der Erpressung, die er hingenommen hatte, weil er allein sich schuldig glaubte. (Bisher meinte er, sie sei erst nach seiner Abreise, vielleicht um zu vergessen, zu einem anderen gegangen.) Er hat sich die ganze Zeit über schuldig geglaubt, und sie hatte ihn einfach an seine Schuld glauben lassen. Er atmet leise und nachdrücklich die Schuld aus und denkt: Ich bin schlecht beraten gewesen in meiner Verzweiflung. Aber ich bin jetzt noch schlechter beraten von meiner Klarsicht. Mir wird kalt. Ich hätte die Schuld lieber behalten.

Es ist Zerstörung im Gang. Ich werde von Glück reden können, wenn dieses Jahr mich nicht umbringt. Ich könnte die etruskischen Gräber besuchen, ein wenig in die Campagna fahren, in der Umgebung streunen.

Rom ist groß. Rom ist schön. Aber es ist unmöglich, hier nochmals zu leben. Wie überall mischen sich Halbfreunde unter die Freunde, und dein Freund Moll erträgt deinen Freund Moll nicht, und sie beide sind unnachsichtig gegen deinen dritten Freund Moll. Von allen Seiten wird auf die Wand gedrückt, hinter der du Schutz suchst. Obwohl du manchmal gewünscht und gebraucht wirst, selbst Zuneigung faßt und andere brauchst, sind alle Gesten heikel, und du kannst nicht mehr mit Kopfschmerzen herumgehen; sie werden sogleich als beleidigender Unmut ausgelegt. Du kannst nicht einen Brief ohne Antwort lassen, ohne des Hochmuts, der Indolenz bezichtigt zu werden. Du kannst dich bei keiner Verabredung mehr verspäten, ohne Zorn zu erregen.

Wie aber hat das bloß angefangen? Hat nicht vor Jahren schon die Unterdrückung, die Bevormundung durch die Netzwerke der Feindschaften und Freundschaften eingesetzt, bald nachdem er sich in die Händel der Gesellschaft hatte verstricken lassen. Hat er nicht, in seiner Mutlosigkeit, seither ein Doppelleben ausgebildet, ein Vielfachleben, um überhaupt noch leben zu können? Betrügt er nicht schon alle und jeden und vielfach sich selber? Eine gute Herkunft hat ihm geschenkt: die Anlage zur Freundlichkeit, zum Vertrauen. Seine gute Sehnsucht ist gewesen: das barbarische Verlangen nach Ungleichheit, höchster Vernunft und Einsicht. Hinzuerworben hat er nur die Erfahrung, daß die Menschen sich an einem vergingen, daß man selbst sich auch an ihnen verging und daß es Augenblicke gibt, in denen man grau wird vor Kränkung – daß jeder gekränkt wird bis in den Tod von den anderen. Und daß sich alle vor dem Tod fürchten, in den allein sie sich retten können vor der ungeheuerlichen Kränkung, die das Leben ist.

August! Da waren sie, die Tage aus Eisen, die in der Schmiede zum Glühen gebracht wurden. Die Zeit dröhnte.

Die Strände waren belagert, und das Meer wälzte nicht mehr seine Wellenheere heran, sondern täuschte Erschöpfung vor, die tiefe, blaue.

Am Rost, im Sand, gebraten, geflammt: das leicht verderbliche Fleisch des Menschen. Vor dem Meer, auf den Dünen: das Fleisch.

Ihm war angst, weil der Sommer sich so verausgabte. Weil das bedeutete, daß bald der Herbst kam. Der August war voll Panik, voll Zwang, zuzugreifen und schnell zu leben.

In den Dünen ließen sich alle Frauen umarmen, hinter den Felsen, in den Kabinen, in den Autos, die unter den Pinienschatten standen; selbst in der Stadt, hinter den herabgelassenen Persianen am Nachmittag, boten sie sich im Halbschlaf an oder sie blieben, eine Stunde später, auf dem Corso mit ihren hohen Absätzen hängen im aufgeweichten Asphalt der flautenstillen Straßen und griffen, Halt suchend, nach einem Arm, der vorüberstreifte.

Kein Wort wurde in diesem Sommer gesprochen. Kein Name genannt.

Er pendelte zwischen dem Meer und der Stadt hin und her, zwischen hellen und dunklen Körpern, von einer Augenblicksgier zur andern, zwischen Sonnengischt und Nachtstrand, mit Haut und Haar gepackt vom Sommer. Und die Sonne rollte jeden Morgen schneller herauf und stürzte immer früher hinunter vor den unersättlichen Augen, ins Meer.

Er betete die Erde und das Meer und die Sonne an, die ihn so fürchterlich gegenwärtig bedrängten. Die Melonen reiften; er zerfleischte sie. Er kam vor Durst um.

Er liebte eine Milliarde Frauen, alle gleichzeitig und ohne Unterschied.

Wer bin ich denn, im goldnen September, wenn ich alles von mir streife, was man aus mir gemacht hat? Wer, wenn die Wolken fliegen!
Der Geist, den mein Fleisch beherbergt, ist ein noch größerer Betrüger als sein scheinheiliger Wirt. Ihn anzutreffen, muß ich vor allem fürchten. Denn nichts, was ich denke, hat mit mir zu schaffen. Nichts anderes ist jeder Gedanke als das Aufgehen fremder Samen. Nichts von all dem, was mich berührt hat, bin ich fähig zu denken, und ich denke Dinge, die mich nicht berührt haben.
Ich denke politisch, sozial und noch in ein paar anderen Kategorien und hier und da einsam und zwecklos, aber immer denke ich in einem Spiel mit vorgefundenen Spielregeln und einmal vielleicht auch daran, die Regeln zu ändern. Das Spiel nicht. Niemals!
Ich, dieses Bündel aus Reflexen und einem gut erzogenen Willen, *Ich* ernährt vom Abfall aus Geschichte, Abfällen von Trieb und Instinkt, *Ich* mit einem Fuß in der Wildnis und dem anderen auf der Hauptstraße zur ewigen Zivilisation. *Ich undurchdringlich*, aus allen Materialien gemischt, verfilzt, unlöslich und trotzdem auszulöschen durch einen Schlag auf den Hinterkopf. Zum Schweigen gebrachtes *Ich aus Schweigen* . . .
Warum habe ich einen Sommer lang Zerstörung gesucht im Rausch oder die Steigerung im Rausch? – doch nur, um nicht gewahr zu werden, daß ich ein verlassenes Instrument bin, auf dem jemand, lang ist's her, ein paar Töne angeschlagen hat, die ich

hilflos variiere, aus denen ich wütend versuche, ein Stück Klang zu machen, das meine Handschrift trägt. Meine Handschrift! Als ob es darauf ankäme, daß irgend etwas meine Handschrift trägt! Blitze sind durch Bäume gefahren und haben sie gespalten. Wahnsinn ist über die Menschen gekommen und hat sie innen zerstückt. Heuschreckenschwärme sind über die Felder gefallen und haben die Fraßspur gelassen. Fluten haben Hügel verheert, die Wildbäche den Abhang. Die Erdbeben haben nicht geruht. Das sind Handschriften, die einzigen!

Wäre ich nicht in die Bücher getaucht, in Geschichten und Legenden, in die Zeitungen, die Nachrichten, wäre nicht alles Mitteilbare aufgewachsen in mir, wäre ich ein Nichts, eine Versammlung unverstandener Vorkommnisse. (Und das wäre vielleicht gut, dann fiele mir etwas Neues ein!) Daß ich sehen kann, daß ich hören kann, das verdiene ich nicht, aber meine Gefühle, die verdiene ich wahrhaftig, diese Reiher über weißen Stränden, diese Wanderer nachts, die hungrigen Vagabunden, die mein Herz zur Landstraße nehmen. Ich wollte, ich könnte all denen, die an ihre einzigartigen Köpfe und die harte Währung ihrer Gedanken glauben, zurufen: seid guten Glaubens! Aber sie sind außer Kurs gesetzt, diese Münzen, mit denen ihr klimpert, ihr wißt es nur noch nicht. Zieht sie aus dem Verkehr mitsamt den abgebildeten Totenköpfen und Adlern. Gebt zu, daß es vorbei ist mit Griechenland und Buddhaland, mit Aufklärung und Alchimie. Gebt zu, daß ihr nur ein von den Alten möbliertes Land bewohnt, daß eure Ansichten nur gemietet sind, gepachtet die Bilder eurer Welt. Gebt zu, daß ihr, wo ihr wirklich bezahlt, mit eurem Leben, es nur jenseits der Sperre tut, wenn ihr Abschied genommen habt von allem, was euch so teuer ist – auf Landeplätzen, Flugbasen, und nur von dort aus den eigenen Weg und eure Fahrt antretet, von imaginierter Station zu imaginierter Station, Weiterreisende, denen es um Ankommen nicht zu tun sein darf!

Flugversuch! Neuer Liebesversuch! Da eine immense unbegriffene Welt sich zu deiner Verzweiflung anbietet – laß fahren dahin!

Schattenschlaf, geflügelte Heiterkeit über Abgründen. Wenn einer den anderen nicht mehr umschlingt, still für sich gehen läßt, wenn der Polyp Mensch seinen Fangarm einzieht, nicht mehr den Nächsten verschlingt ... Menschlichkeit: den Abstand wahren können.

Haltet Abstand von mir, oder ich sterbe, oder ich morde, oder ich morde mich selber. Abstand, um Gottes willen!

Ich bin zornig, von einem Zorn, der nicht Anfang und Ende hat. Mein Zorn, der von einer frühen Eiszeit herrührt und sich gegen die eisige Zeit jetzt wendet ... Denn wenn die Welt zu Ende geht – und alle sagen's, die Gläubigen und die Abergläubischen, die Wissenschaftler und die Propheten, einmal wird sie zu Ende gehen – warum dann nicht vor dem Ausrotieren oder vor dem Knall oder vor dem Jüngsten Gericht? Warum dann nicht aus Einsicht und Zorn? Warum sollte sich dieses Geschlecht nicht sittlich verhalten können und ein Ende setzen? Das Ende der Heiligen, der unfruchtbar Fruchtbaren, der wahrhaft Liebenden. Dagegen wäre zufällig nichts zu sagen.

Er erwachte immer schwerer an den Morgen. Er blinzelte in das wenige Licht, drehte sich weg, vergrub seinen Kopf im Kissen. Er bat um mehr Schlaf. Komm, schöner Herbst. In diesem Oktober der letzten Rosen . . .

Es gibt allerdings eine Insel, von der ihm einer erzählt hat, in der Ägäis, auf der es nur Blumen und steinerne Löwen gibt; die gleichen Blumen, die bei uns bescheiden und kurz blühen, kommen dort zweimal im Jahr, groß und leuchtend. Die knappe Erde, der abweisende Fels spornen sie an. Die Armut treibt sie in die Arme der Schönheit.

Er schlief meist bis tief in den Nachmittag und half sich mit Liebhabereien über den Abend. Er gab immer mehr Unmut preis bei diesem Ausschlafen und schlief sich Kraft zusammen. Ihm schien plötzlich die Zeit nicht mehr kostbar, nicht mehr vernutzbar. Er mußte auch nichts Bestimmtes tun, um zufrieden zu sein, keinen Wunsch oder Ehrgeiz mehr befriedigen, um am Leben zu bleiben.

Die Besonderheit dieses abtretenden Jahres war es,

mit dem Licht zu geizen. Auch die Lichttage trugen Grau.
Er ging jetzt immer auf kleine Plätze, ins Ghetto oder in die Cafés der Kutscher nach Trastevere, und trank dort langsam, Tag für Tag zu der gleichen Stunde, seinen Campari. Er bekam Gewohnheiten, pflegte sie, auch die allerkleinsten. Diesen seinen Verknöcherungen sah er mit Wohlgefallen zu. Am Telefon sagte er oft: Meine Lieben, heute kann ich leider nicht. Vielleicht nächste Woche. – In der darauffolgenden Woche stellte er das Telefon ab. Auch in den Briefen ließ er sich auf keine Versprechungen und Erklärungen mehr ein. So viele unnütze Stunden hatte er mit anderen verbracht, und jetzt nutzte er die Stunden zwar auch nicht, aber er bog sie zu sich her, roch an ihnen. Er kam in den Genuß der Zeit; ihr Geschmack war rein und gut. Er wollte sich ganz auf sich selbst zurückziehen. Aber das bemerkte niemand oder niemand wollte es wahrhaben. In den Vorstellungen der Mitwelt ging er noch verschwenderisch um, war er immer noch ein Hans Dampf in allen Gassen, und manchmal traf er seine wolkige Gestalt in der Stadt und grüßte sie zurückhaltend, weil er sie kannte von früher. Von heute war sie nicht. Heute war er ein anderer. Gut fühlte er sich allein, er forderte nichts mehr, trug die Wunschgebäude ab, gab seine Hoffnungen auf und wurde einfacher von Tag zu Tag. Er fing an, demütig von der Welt zu denken. Er suchte nach einer Pflicht, er wollte dienen.

Einen Baum pflanzen. Ein Kind zeugen.
Ist das bescheiden genug? Ist es einfach genug?
Wenn er sich umsähe nach einem Stück Land und einer Frau – und er kennt Leute, die das getan haben in aller Bescheidenheit – dann könnte er um acht Uhr früh aus dem Haus und an seine Arbeit gehen, im Getriebe einen Platz ausfüllen, von den Ratenzahlungen auf Möbel und von den staatlichen Kinderzulagen Gebrauch machen. Er könnte, was er erlernt hat, monatlich in Geldscheinen bedankt sehen und sie dazu verwenden, sich und den Seinen ein ruhiges Wochenende zu machen. Er könnte den Kreislauf mitbeleben, mitkreisen.
Das würde ihm gut gefallen. Besonders: einen Baum zu pflanzen. Er könnte ihn durch alle Jahreszeiten beobachten, Ringe ansetzen sehen und seine Kinder hinaufklettern lassen. Ernten würden ihm gefallen. Äpfel. Obwohl er keine Äpfel essen mag, besteht er auf einem Apfelbaum. Und einen Sohn zu haben, das wäre nach seinem Geschmack, obwohl es ihm, wenn er Kinder sieht, gleichgültig ist, welchen Geschlechts sie sind. Der Sohn würde auch wieder Kinder haben, Söhne.
Aber eine Ernte, die so fern ist, draußen im Garten, den andere übernehmen werden, draußen in der Zeit, in der er kein Leben mehr haben wird! Dieser Schauder! Und hier ist der ganze Erdkreis voll von Bäumen und Kindern, krätzigen, verkrüppelten Bäumen, hungernden Kindern, und keine Hilfe reicht aus, um

ihnen zu einem würdigen Dasein zu verhelfen. Pfleg einen wilden Baum, nimm dich dieser Kinder an, tu es, wenn du kannst, schütz auch nur einen Baum vorm Gefälltwerden und sprich dann weiter!
Hoffnung: ich hoffe, daß nichts eintritt, wie ich es erhoffe. Ich erhoffe, wenn Baum und Kind mir zukommen sollen, daß dies zu einer Zeit geschieht, in der mir jede Hoffnung darauf abhanden gekommen ist und jede Bescheidenheit. Dann werde ich auch umgehen können mit beiden, gut und bestimmt, und sie verlassen können in meiner Todesstunde.
Aber ich lebe ja. Ich lebe! Daran ist nicht zu rütteln.

Einmal, als er kaum zwanzig Jahre alt war, hatte er in der Wiener Nationalbibliothek alle Dinge zu Ende gedacht und dann erfahren, daß er ja lebte. Er lag über den Büchern wie ein Ertrinkender und dachte, während die kleinen grünen Lampen brannten und die Leser auf leisen Sohlen schlichen, leise husteten, leise umblätterten, als fürchteten sie, die Geister zu wecken, die zwischen den Buchdeckeln hausten. Er *dachte* – wenn jemand versteht, was das heißt! Er weiß noch genau den Augenblick, als er einem Problem der Erkenntnis nachging und alle Begriffe locker und handlich in seinem Kopf lagen. Und als er *dachte* und *dachte* und wie auf einer Schaukel hoch und höher flog, ohne Schwindelgefühl, und als er sich den herrlichsten Schwung gab, da fühlte er sich gegen eine Decke fliegen, durch die er oben durchstoßen mußte. Ein Glücksgefühl wie nie zuvor hatte ihn erfaßt, weil er in diesem Augenblick daran war, etwas, das sich auf alles und aufs Letzte bezog, zu begreifen. Er würde durchstoßen mit dem nächsten Gedanken! Da geschah es. Da traf und rührte ihn ein Schlag, inwendig im Kopf; ein Schmerz entstand, der ihn ablassen hieß, er verlangsamte sein Denken, verwirrte sich und sprang von der Schaukel ab. Er hatte seine Kapazität zu denken überschritten oder vielleicht konnte dort kein Mensch weiterdenken, wo er gewesen war. Oben, im Kopf, an seiner Schädeldecke, klickte etwas, es klickte beängstigend und hörte nicht auf, einige Sekunden lang. Er meinte, irrsinnig geworden zu sein, und umkrallte sein Buch mit den Händen. Er ließ den Kopf vornüber sinken und schloß die Augen, ohnmächtig bei vollem Bewußtsein.

Er war am Ende.

Er war mehr am Ende als je, als wenn er bei einer Frau war und wenn in seinem Gehirn alle Leitungen einen Augenblick lang unterbrochen waren, er die Vernichtung seiner Person erhoffte, sich eintreten fühlte in das Reich der Gattung. Denn was hier vernichtet worden war, in dem großen alten Saal, beim Licht der grünen Lämpchen, in der Stille der feierlichen Buchstabenabspeisung, war ein Geschöpf, das sich zu weit erhoben hatte, ein Flügelwesen, das durch blaudämmernde Gänge einem Lichtquell zustrebte, und, genau genommen, ein Mensch, nicht mehr als ein Widerpart, sondern als der mögliche Mitwisser der Schöpfung. Er wurde vernichtet als möglicher Mitwisser, und von nun an würde er nie wieder so hoch steigen und an die Logik rühren können, an die die Welt gehängt ist.

Er wußte sich abgewiesen, unfähig, und von Stund an war ihm die Wissenschaft ein Greuel, weil er sich darin vergangen hatte, weil er zu weit gegangen und dabei vernichtet worden war. Er konnte nur noch dies und jenes dazulernen, ein Handlanger werden und seinen Verstand geschmeidig erhalten, aber das interessierte ihn nicht. Er hätte sich gern außerhalb aufgestellt, über die Grenze hinübergesehen und von dorther zurück auf sich und die Welt und die Sprache und jede Bedingung. Er wäre gerne mit einer neuen Sprache wiedergekehrt, die getaugt hätte, das erfahrene Geheimnis auszudrücken.

So aber war alles verwirkt. Er lebte, ja, er lebte, das fühlte er zum ersten Mal. Aber er wußte jetzt, daß er in einem Gefängnis lebte, daß er sich darin einrichten mußte und bald wüten würde und diese einzige verfügbare Gaunersprache würde mitsprechen müssen, um nicht so verlassen zu sein. Er würde seine Suppe auslöffeln müssen und am letzten Tag stolz oder feig sein, schweigen, verachten oder wütend zu dem Gott reden, den er hier nicht antreffen konnte und der ihn dort nicht zugelassen hatte. Denn hätte er mit dieser Welt hier etwas zu tun, mit dieser Sprache, so wäre er kein Gott. Gott kann nicht sein in diesem Wahn, kann nicht in ihm sein, kann nur damit zu tun haben, daß dieser Wahn ist, daß da dieser Wahn ist und kein Ende des Wahnes ist!

Im Winter desselben Jahres war er mit Leni in die Berge gefahren, auf die Rax, an dem Wochenende, ja, er weiß es genau. Jetzt erst weiß er es genau. Sie hatten gefroren, gezittert, sich verängstigt aneinander geklammert in der Sturmnacht. Die viel zu dünne schäbige Decke hatten sie einander abwechselnd zugeschoben, dann wieder im Halbschlaf einer dem andern entrissen. Zuvor war er bei Moll gewesen und hatte ihm alles anvertraut. Er war zu Moll gerannt, weil er nicht wußte, was zu machen war, er verstand nichts von alledem, kannte keinen Arzt, kannte sich mit sich selbst und Leni nicht aus, mit Frauen nicht aus. Leni war so jung, er war so jung, und sein Wissen, mit dem er sich aufspielte vor ihr, rührte von Moll her, der sich auskannte oder vorgab, sich auszukennen. Moll hatte die Tabletten besorgt, die er Leni an dem Abend in der Skihütte zu schlucken befahl. Mit Moll hatte er alles beredet, und obwohl ihm so elend war, hatte er sich beneiden lassen von ihm. (Eine Jungfrau, das ist mir noch nicht untergekommen in dieser Stadt, sprich dich aus, alter Freund!) Getrunken hatte er mit Moll und in seinem Rausch Molls Ansichten inhaliert. (Rechtzeitig Schluß machen. Da gibt's nur eines. Sich aus der Affäre ziehen. An die

Zukunft denken. Der Stein um den Hals.) Aber in der Schneenacht graute ihm vor sich selber, vor Moll, vor Leni, die er nicht mehr anrühren mochte, seit er wußte, was ihr bevorstand, nie mehr wollte er diesen knöchernen faden Körper, diese geruchlose Kindfrau anrühren, und darum stand er auf mitten in der Nacht und ging noch einmal hinunter ins Gastzimmer, setzte sich an einen leeren Tisch und bemitleidete sich, bis er nicht mehr allein war, bis die beiden blonden Skifahrerinnen sich zu ihm setzten, bis er betrunken war und mit den beiden hinaufging, hinterdreinging wie ein Verurteilter, in dasselbe Stockwerk, in dem Leni wach lag und weinte oder schlief und im Schlaf weinte. Als er mit den beiden Mädchen in der Kammer war und sich mit ihnen lachen hörte, schien ihm alles einfach und leicht. Alles das gab es noch für ihn, alles konnte er fordern; es war so leicht, er hatte nur noch nicht die richtige Einstellung, aber er würde sie haben, jetzt gleich und von da an für immer. Er fühlte sich als Mitwisser eines Geheimnisses der Leichtigkeit, der Billigkeit und eines frevellosen Frevels. Noch ehe er die eine zu küssen anfing, war Leni schon preisgegeben. Noch ehe er einen Rest von Widerstand und Scham überwand und der anderen ins Haar fuhr, war die Angst abgetan. Doch dann bezahlte er, denn er konnte seine Ohren nicht verschließen vor den schrillen Worten und dem irren Gestammel, das ihn einkreiste. Er konnte nicht mehr zurück und er konnte seine Augen nicht schließen, bezahlte mit seinen Augen für alles, was ihm vorher und nachher zu sehen geschenkt war in den Nächten, in denen Licht brannte. Am nächsten Morgen war Leni verschwunden. Als er nach Wien zurückkam, schloß er sich ein paar Tage ein, er ging nicht zu ihr, ging nie mehr zu ihr, und er hörte nie wieder von ihr. Jahre später erst betrat er das Haus im III. Bezirk, in dem sie wohnte; aber sie wohnte nicht mehr dort. Er traute sich auch jetzt nicht, nach ihr zu forschen, wäre auch sofort wieder gegangen, geflohen, wenn sie noch da gewohnt hätte. Manchmal sah er sie, in Gespensterstunden, mit aufgedunsenem Gesicht die Donau hinuntertreiben oder das Kind in einem Kinderwagen durch den Stadtpark schieben (und an solchen Tagen mied er den Stadtpark) oder er sah sie ohne Kind, weil das Kind doch gar nicht leben konnte, wie sie als Verkäuferin in einem Geschäft stand und ihn, noch ehe sie ihn sah, nach seinem Wunsch fragte. Er sah sie auch glücklich verheiratet mit einem Vertreter in der Provinz. Aber er sah sie doch nie wieder. Und er vergrub so tief in sich, daß es nur selten hochstieg, das Bild von der Schneenacht, von dem Sturm, von dem bis zu den kleinen Hüttenfenstern hochgewehten Schnee, dem Licht, das gebrannt hatte über drei verschlungenen Körpern und einem Gekicher, Hexengekicher und blonden Haaren.

Wenn die Kirche im Dorf gelassen ist, wenn einer in die Grube gefallen ist, die er einem anderen grub, wenn sich das Sprichwörtliche erfüllt und alle Voraussagen über Mondwechsel und Sonnengang wieder einmal recht behalten haben – mit einem Wort, wenn die Rechnung vorläufig aufgeht und alles, was im All fliegen soll, fliegt, dann muß er den Kopf schütteln und denken, in welcher Zeit er lebt.
Er ist, wie alle, nicht gut vorbereitet; er weiß nur den geringsten Teil und jeder weiß ja nur einen allergeringsten Teil von dem, was vorgeht.
Er weiß zufällig, daß es Roboter gibt, die sich nicht irren, und er kennt einen Straßenbahnführer, der sich schon einmal geirrt hat mit der Abfahrtszeit und dem Vorfahrtsrecht. Vielleicht irren sich die Sterne und Kometen, wenn zuviel dazwischenkommt, aus Zerstreuung und Müdigkeit und weil sie abgelenkt werden vom alten poetischen Vortrag ihres Lichts.
Er möchte nicht oben sein, aber es ist ihm recht, daß es oben weitergeht, weil oben auch unten ist, also daß es rundherum weitergeht, denn aufzuhalten ist es nicht. Niemand hält es auf. Man hält die Gedanken nicht auf und kein Werkzeug zu ihrer Verlängerung. Es ist auch gleich, ob man links oder rechts durch den Raum fliegt, da alles schon fliegt, die Erde etwa, und wenn noch Flug im Flug ist, um so besser, daß es fliegt und sich dreht, damit man weiß, wie sehr es sich dreht und daß nirgends ein Halt ist, nicht im gestirnten Himmel über dir . . .

Aber in dir drinnen, wo du kaum aufkommst und nicht sehr mitfliegst, wo zwar auch kein Halt ist, aber ein gestockter, zäher Brei von alten Fragen, die nichts mit Fliegen zu tun haben und Abschußbasen, wo du das Steuer nur ruckweise und kaum spürbar drehen kannst, wo die Moral von der ganzen Geschichte gemacht wird, weil in ihr selbst keine ist, wo du die Moral von der Moral suchst und die Rechnung nicht aufgeht
Wo einer eine Grube gräbt und selbst hineinfällt, wo du klebst und dich windest und noch immer klebst und nicht weiter kannst
Weil dir dort kein Licht aufgeht (und was hilft's dir dann, alles zu wissen über die Lichtgeschwindigkeit?), weil dir kein Licht aufgeht über die Welt und dich und die ganzen Leben und Unleben und Tode
Weil hier nur Marter ist, weil du in der Gaunersprache das rechte Wort nicht findest und die Welt nicht löst
Nur die Gleichung löst du, die die Welt auch ist
Die Welt ist auch eine Gleichung, die löst sich und dann ist Gold gleich Gold und Dreck gleich Dreck
Aber nichts ist dem gleich in dir und nichts gleich der Welt in dir
Wenn du das aufgeben könntest, austreten könntest aus deiner gewohnten Beklemmung über das Gute und das Böse und in dem Brei alter Fragen nicht weiterrührtest, wenn du den Mut hättest, einzutreten in den Fortschritt
Nicht nur in den vom Gaslicht zur Elektrizität, vom Ballon zur Rakete (die subalterne Verbesserung)

Wenn du den Menschen aufgäbst, den alten, und einen neuen annähmst, dann
Dann, wenn die Welt nicht mehr weiterginge zwischen Mann und Frau, so wie jetzt, zwischen Wahrheit und Lüge, wie Wahrheit jetzt und Lüge jetzt
Wenn das alles zum Teufel ginge
Wenn du die Rechnung, auf die du Wert legst, neu aufstelltest und ihr Rechnung trügst
Wenn du ein Flieger wärst und, ohne zu deuteln, deine Bögen flögst, wenn du nur Nachricht gäbst, Bericht, nicht mehr die Geschichte von alldem zusammen, von dir und noch einem und einem Dritten
Dann, wenn du heil wärst und nicht mehr verwundet, gekränkt, süchtig nach Reinheit und Rache
Wenn du keine Märchen mehr glaubtest und dich nicht mehr fürchtetest im Dunkeln
Wenn du nicht mehr wagen müßtest und verlieren oder gewinnen, sondern machtest
Machst, den Handgriff in der größeren Ordnung, denkst in der Ordnung, wenn du in der Ordnung wärst, in der Rechnung, aufgingst in der hellen Ordnung
Dann, wenn du nicht mehr meinst, daß es besser gehen müsse »im Rahmen des Gegebenen«, daß die Reichen nicht mehr reich und die Armen nicht mehr arm sein dürften, die Unschuldigen nicht mehr verurteilt und die Schuldigen gerichtet werden sollten
Wenn du nicht mehr trösten und Gutes tun willst und keinen Trost mehr verlangst und Hilfe

Wenn das Mitleid und das Leid zum Teufel gegangen sind und der Teufel zum Teufel, dann!
Dann, wenn die Welt dort angefaßt wird, wo sie sich auch anfassen läßt, wo sie das Geheimnis der Drehbarkeit hat, wo sie noch keusch ist, wo sie noch nicht geliebt und geschändet worden ist, wo die Heiligen sich noch nicht für sie verwandt und die Verbrecher keinen Blutfleck gelassen haben
Wenn der neue Status geschaffen ist
Wenn die Nachfolge in keinem Geist mehr angetreten wird
Wenn endlich endlich kommt
Dann
Dann spring noch einmal auf und reiß die alte schimpfliche Ordnung ein. Dann sei anders, damit die Welt sich verändert, damit sie die Richtung ändert, endlich! Dann, tritt du sie an!

Wenn er in sein dreißigstes Jahr geht und der Winter kommt, wenn eine Eisklammer November und Dezember zusammenhält und sein Herz frostet, schläft er ein über seinen Qualen. Er flieht in den Schlaf, flieht zurück ins Erwachen, flieht bleibend und reisend, geht durch die Verlassenheit kleiner Städte und kann keine Türklinke mehr niederdrücken, keinen Gruß mehr entbieten, weil er nicht angesehen und angesprochen werden will. Er möchte sich wie eine Zwiebel, wie eine Wurzel unter die Erde verkriechen, wo sie warm geblieben ist. Überwintern mit seinen Gedanken und Gefühlen. Mit einem schrumpfenden Mund schweigen. Er wünscht, daß alle Äußerungen, Beleidigungen, Verheißungen, die er ausgesprochen hat, ungültig würden, vergessen bei allen und er vergessen bei allen.

Aber kaum ist er befestigt in der Stille, kaum wähnt er sich eingepuppt, behält er nicht mehr recht. Ein naßkalter Wind treibt seine Erwartungslosigkeit um die Ecke, über einen Blumenstand mit Sterbeblumen und Wintergrün. Und plötzlich hält er die Schneeglocken in der Hand, die er nicht kaufen wollte – er, der mit leeren Händen gehen wollte! Die Schneeglöckchen beginnen wild und lautlos zu läuten, und er geht hin, wo ihn sein Verderben erwartet. Voller Erwartung und wie noch nie, mit der Erwartung und dem Erlösungswunsch aus allen Jahren.

Erst jetzt, nachdem er sich ruhig und glücklich gepriesen hat, nachdem er alle glaublichen Erfahrungen gemacht hat, kommt die unglaubliche Liebe. Mit Todesriten und den kultischen Schmerzen, die jeden Tag anders verlaufen.

Von dieser Stunde an, noch eh die Blumen ihre Empfängerin kennenlernten, war er nicht mehr Herr seiner selbst, sondern ausgeliefert, verdammt, und sein Fleisch zog ihn mit sich in die Hölle. Er ging acht Tage lang und, nach dem ersten Bruch und Rettungsversuch, nochmals acht Tage lang in die Hölle. Sympathie, Wohltaten, Wohlgefallen hatten keinen

Raum. Sie war nicht eine Frau, die so oder so aussah und so oder so war; ihren Namen konnte er nicht aussprechen, weil sie keinen hatte, wie das Glück selbst, von dem er geschleift wurde ohne Rücksicht. Er war in einem Zustand des Außersichseins, in dem der Geschmack eines Mundes nicht mehr wahrgenommen wird, in dem keine Geste Zeit läßt, eine andere auszudenken, in dem Liebe zur Revanche wird für alles, was auf Erden erträglich ist. Die Liebe war unerträglich. Sie erwartete nichts, forderte nichts und schenkte nichts. Sie ließ sich nicht einfrieden, hegen und mit Gefühlen bepflanzen, sondern trat über die Grenzen und machte alle Gefühle nieder.
Er war noch nie ohne Gefühl gewesen, ohne Komplikation, und nun war er zum erstenmal leer, ausgewrungen, und spürte nur mehr mit tiefer Befriedigung, wie eine Welle ihn in kurzen Abständen gegen einen Felsen hob und hinschlug und wieder zurücknahm.
Er liebte. Er war von allem frei, aller Eigenschaften, Gedanken und Ziele beraubt in dieser Katastrophe, in der nichts gut und schlecht oder recht und unrecht war, und er war sicher, daß es keinen Weg weiter oder heraus gab, den man als Weg hätte bezeichnen können. Während anderswo allerorten die anderen eine Arbeit taten, um Werke bekümmert waren, liebte er vollkommen. Es nahm mehr Kraft in Anspruch, als zu arbeiten und zu leben. Die Augenblicke glühten, die Zeit wurde zur schwarzen Brand-

spur dahinter, und er, von Augenblick zu Augenblick, trat immer lebendiger hervor als ein Wesen von reiner Bestimmung, in dem nur ein einziges Element herrschte.

Er packte seine Koffer, weil er instinktiv begriff, daß auch die erste Stunde Liebe schon zuviel gewesen war, und suchte mit der letzten Kraft seine Zuflucht im Abreisen. Er schrieb drei Briefe. In dem ersten beschuldigte er sich selbst der Schwäche, im zweiten seine Geliebte, im dritten verzichtete er darauf, nach einer Schuld zu suchen, und hinterließ seine Adresse. »Schreib mir bitte postlagernd nach Neapel, nach Brindisi, nach Athen, Konstantinopel . . .«

Er kam aber nicht weit. Ihm ging auf, daß mit der Abreise alles zusammenbrach, er hatte nur mehr wenig Geld, das letzte schon ausgegeben, um die Wohnung vorauszubezahlen, um sie halten zu können, einen Ort trotz allem halten zu können. Er lungerte im Hafen von Brindisi herum, verhandelte seine Habe bis auf zwei Anzüge und suchte nach Schwarzarbeit. Aber er taugte wohl nicht zu solchen Arbeiten und zu diesen Gefährlichkeiten, in die er jetzt hineingeraten konnte. Er wußte nicht mehr weiter, schlief zwei Nächte im Freien, fing an, die Polizei zu fürchten, den Schmutz zu fürchten, das Elend, den Untergang. Ja, er würde untergehen. Dann schrieb er einen vierten Brief: »Ich habe jetzt noch zwei Anzüge, die gebügelt werden müßten, meine zwei Pfeifen und das Feuerzeug, das du mir geschenkt hast. Es ist kein

Benzin mehr drin. Wenn du mich aber vor dem Sommer nicht sehen willst, dich nicht von N. trennen kannst vor dem Sommer . . .«

Vor dem Sommer!

»Und wenn du dann noch immer nicht weißt, mit wem und warum und wozu, mein Gott . . . Aber wenn du es wüßtest, dann wüßte ich es vielleicht nicht, und es wäre mir noch erbärmlicher zumute. Ich kann in keinem Weg mehr einen Weg sehen. Wir hätten es nicht überleben sollen.«

Vor dem Sommer! Dann würde er dieses Jahr abgebüßt haben, und alles, was er später aus dem Stoff von dreißig Jahren bereiten konnte, versprach ihm, gewöhnlich zu werden. Oh, müssen wir wirklich alt, häßlich, faltig und schwachsinnig, beschränkt und verstehend werden, damit unser Los sich erfüllt? Nichts gegen die Alten, sagte er zu sich, es ist ja bald auch so weit für mich, und ich fühle schon den Schauder, mit dem alle meine Jahre über mich kommen werden. Bald. Noch aber stehe ich dagegen, noch will ich's nicht glauben, daß dieses Licht erlöschen kann, Jugend, dies ewiglich scheinende Licht. Als es aber immer kurzatmiger und hungrig zu flackern begann, und da alle Versuche, Arbeit zu finden oder weiterzukommen mit einem Schiff – all diese unsinnigen Unterfangen, die einem jüngeren Menschen oder einem Irren besser angestanden wären – fehlgeschlagen waren, schrieb er nach Hause. Er schrieb beinahe die Wahrheit und bat seinen Vater zum ersten Mal um

Hilfe. Ihm war elend zumute, denn er war dreißig Jahre alt, und früher hatte er es immer verstanden, sich durchzuschlagen. Nie war er so kraftlos und hilflos gewesen. Er bekannte seinen Zusammenbruch ein und bat um Geld. Er sollte nie schneller Geld erhalten. Er hatte sich noch nicht von der raschen Rettung erholt, da war er schon auf der Rückreise. Er ging über Venedig.

Dort kam er spätabends vor dem Markusplatz an, steuerte auf ihn zu. Die Bühne war leer. Die Zuschauer waren von den Sitzen geschwemmt. Das Meer hatte den Himmel überstiegen, die Lagunen waren voll von Geflacker, da die Leuchter und Laternen ihr Licht nach unten ins Wasser geworfen hatten.

Licht, lichtes Leuchten, fern vom Gelichter. Er geisterte durch. Von Anfang an hatte es ihn getrieben, Schutz in der Schönheit zu suchen, im Anschauen, und wenn er darin ruhte, sagte er sich: Wie schön! Das ist schön, schön, es ist schön. Laß es immer so schön sein und mich meinetwegen verderben für das Schöne und was ich meine damit, für Schönheit, für dieses »Mehr als . . .«, für dieses Gelungensein. Ich wüßte kein Paradies, in das ich, nach dem, was war, hinein möchte. Aber da ist mein Paradies, wo das Schöne ist.

Ich verspreche, mich damit nicht aufzuhalten, denn die Schönheit ist anrüchig, kein Schutz mehr, und die Schmerzen verlaufen schon wieder anders.

Früher hatte er nie gewußt, wie man reist. Er stieg in die Züge mit Herzklopfen und wenig Geld. In den Städten kam er immer nachts an, wenn Ströme von umsichtigen Fremden längst alle Hotelzimmer an sich gerissen hatten und seine Freunde schon schliefen. Einmal ging er die ganze Nacht spazieren, weil er kein Bett fand. Auf den Schiffen fuhr er mit noch größerem Herzklopfen und in den Flugzeugen hielt er vor Entzücken den Atem an. Diesmal aber hatte er den Fahrplan gelesen, sein neues Gepäck gezählt, einen Träger genommen. Er hatte einen reservierten Platz und Reiselektüre. Er wußte, wo er umsteigen wollte, und das Geld ging ihm nicht schon auf dem Bahnsteig aus, nachdem er einen Kaffee getrunken hatte. Er reiste wie ein Mensch von Distinktion und so ruhig, daß keiner ihm sein Vorhaben ansah. Er hatte vor, das Wanderleben zu beenden. Er wollte umkehren. Er fuhr in die Stadt zurück, die er am meisten geliebt hatte und in der er Steuern hatte zahlen müssen, auch Lehrgeld, Studiengeld und sonst noch einiges. Er fuhr nach Wien – mit dem Wort »heim« hielt er trotzdem an sich.
Er legte sich im Abteil nieder, den Kopf auf seinem zusammengerollten Mantel und dachte nach. Auf diesem Lager würde er durch Europa rollen, aufschrecken aus Träumen, frieren, wenn er den vertrauten Gebirgen nah kam, dösen, sich peinlich erinnern. Er wollte an den Ausgangspunkt zurückkehren, denn er hatte von dem, was man die Welt nennt, genug gesehen.

Er quartierte sich in einem kleinen Hotel in der Inneren Stadt ein, in der Nähe der Post. Nie hatte er in Wien in einem Hotel gewohnt. Er war hier Untermieter gewesen, ohne und mit Badbenützung, ohne und mit Telefonbenützung. Bei Verwandten, bei einer alleinstehenden Krankenschwester, die seinen Tabakgeruch schlecht vertrug, bei einer Generalswitwe, für deren Katzen und Kakteen er, wenn sie zur Kur fuhr, hatte sorgen müssen.
Zwei Tage lang war er so unschlüssig, daß er es nicht wagte, jemand anzurufen. Niemand erwartete ihn; einigen Leuten hatte er zu lange nicht geschrieben, andere wieder hatten auf seine Briefe nie Antwort gegeben. Er fühlte plötzlich, daß seine Rückkehr eine Unmöglichkeit war aus vielen Gründen. Genausowenig hätte ein Toter wiederkommen dürfen. Es ist niemand erlaubt, fortzusetzen, wo man abgebrochen hat. Da ist niemand, sagte er sich, niemand, der noch auf mich zählt. Er ging essen, in ein Restaurant, in das er sich früher nie hineingewagt hätte, las die Speisekarte geläufiger als anderswo, er meinte gerührt zu sein über jede seltsame, lang vermißte Bezeichnung, aber er war es nicht. Er erkannte die alten vermißten Glocken beim Mittagsläuten. In ihm blieb es totenstill. Er traf zufällig Bekannte am Graben, traf mehr Bekannte, und, von den bedeutungsvollen Zufällen ermuntert, schloß er sich allen übereifrig und verlegen an. Er fing unsicher zu erzählen an von seinem Leben, das er anderswo geführt hatte, und

brach gleich wieder ab, weil ihm klar wurde, daß sein Leben anderswo allen als ein Verrat galt, über den es besser war, Schweigen zu bewahren.

Er kaufte sich einen Stadtplan in einer Buchhandlung, für die Stadt, in der er jeden Geruch kannte und über die er nichts Wissenswertes wußte. Er schlug das Buch auf, setzte sich damit auf eine regennasse Bank im Stadtpark, fürchtete anzufrieren und ging dann, den Sternchen nach, zu dem großen Palast mit der Rüstungssammlung und in das Kunsthistorische Museum, zur Gloriette und zu den Kirchen mit den Barockengeln. Am Abend fuhr er bei Sonnenuntergang auf den Kahlenberg und schaute auf die Stadt hinunter, von einem empfohlenen Punkt aus. Er hielt sich die Hand vor die Augen und dachte: Das alles ist nicht möglich! Es ist nicht möglich, daß ich diese Stadt gekannt habe. So nicht.

Anderntags traf er sich mit Freunden. Er wußte überhaupt nicht, wovon sie redeten, aber alle Namen, die fielen, waren ihm bekannt, und selbst, wenn die Gesichter dazu sich nicht mehr einstellten – er kannte sie alle. Die Etiketten waren geblieben. Er nickte zu allem, was er hörte, bestätigend, es erschien ihm aber doch unwirklich, daß es das alles gab: neue Kinder einer alten Freundin, Berufswechsel, Korruption, Skandale, Premieren, Liebschaften, Geschäfte.

(Mein Vorhaben: Ankommen!)

Er trifft Moll wieder, den Wunderknaben, das Genie Moll, das zwanzigjährig alle geblendet hat, den reinen

GeistMoll, der für ein Butterbrot seinerzeit seine vielbewunderten Studien über den Wertzerfall und die Kulturkrise einer christlichen Redaktion zur Verfügung gestellt hat. Moll ist ironisch geworden, bezieht die höchsten Honorare, eilt von Kongreß zu Kongreß, Moll, über den man sich lustig macht und der sich über sich selbst lustig macht, Moll, der jetzt bei Round-Table-Gesprächen vom einstigen Vermögen zehrt und die Welt keines neuen Einfalls für wert erachtet. Moll, der abends zum französischen Botschafter muß und nächsten Tag früh den Beirat bei einer Konferenz abgibt, Moll, noch immer der Jüngsten einer, aalglatt, meinungslos Meinungen vertretend, Moll auf der Butterseite, Moll mit Verachtung für unsichere Existenzen, selbst der unsichersten eine . . . Moll rät ihm: »Steig bei uns ein.« (Die Gaunersprache zur Perfektion gebracht!) Moll überlegen, Moll mit Sinn für alles und alle Leute, die er vor Jahren verachtet hat. Molls Händedruck, sparsam, aber fest. »Allora, bye bye. Mach's gut. Alsdann. Überleg es dir. Schreib, wenn du was brauchst.«
Er verabschiedet sich von Moll, den sparsamen Händedruck sparsam erwidernd, und geht ins ein altes kleines Kaffeehaus. Der Ober stutzt, erkennt ihn, das liebenswürdig traurige Männlein. Und, diesmal muß er nicht reden, nicht Hände schütteln, sich anstrengen; die Phrase bleibt ihm erspart, ein Lächeln genügt, sie lächeln einander töricht zu, zwei Männer, die vieles an sich haben vorbeigehen sehen, Jahre, Menschen,

Glücke, Unglücke, und alles, was der alte Mann ausdrücken will – Freude, Erinnerung – zeigt er ihm damit, daß er ihm genau die Zeitungen hinlegt, die er hier einst verlangt und gelesen hat.
Er muß nach dem Stapel von Zeitungen greifen, das ist er dem Alten schuldig; er ist es ihm gerne schuldig. Endlich ist er hier etwas freudig und ohne Widerstand schuldig.
Absichtslos beginnt er zu lesen, die Schlagzeilen, Lokales, Kulturelles, Vermischtes, den Sportbericht. Das Datum spielt keine Rolle, er hätte die Zeitung auch mit einer von vor fünf Jahren vertauschen können, er liest nur den Tonfall, die unverkennbare Schrift, die Anordnung, das Satzbild. Er weiß, wie nirgends, was links oben und rechts unten abgehandelt wird, was man hier in den Zeitungen für gut und was für schlecht hält. Nur hier und da hat sich unbeholfen eine neue Vokabel eingeschlichen.
Plötzlich steht ein Mann vor ihm, seines Alters, der ihn begrüßt; er müßte ihn kennen, aber es will ihm nicht einfallen, wer das ist – doch, es ist natürlich Moll, der da steht, und er muß Moll hastig und erfreut bitten, Platz zu nehmen an seinem Tisch. Moll, den schüchternen Bildungshungrigen, der einmal ergründen wollte, was der neue Stil sei, und der ihn nun gefunden hat. Moll, der also heute weiß, wie man wohnen, malen, schreiben, denken und komponieren muß. Endgültig, entschieden. Der einst tastende, suchende Moll, gespeist von den Erkenntnissen einer

ihm vorangegangenen Generation, hat verdaut und käut das Verschlungene wieder. Molls System. Molls Unfehlbarkeit. Moll als Kunstrichter. Moll, der Unerbittliche, odi profanum vulgus, Moll, der die Sprache verloren hat und dafür mit zweitausend Pfauenfedern aus anderen Sprachen paradiert. Moll, der Romane nicht mehr lesen kann, Moll, für den das Gedicht keine Zukunft hat, Moll, der für die Kastration der Musik eintritt und der die Malerei der Leinwand entfremden will. Moll, schäumend, unbarmherzig, mißverstanden, verweisend auf die Größe von Guilielmus Apuliensis (ca. 1100) . . . Moll, der von allen Malern Erhard Schön für den erstaunlichsten hält. Moll wegweisend. Moll, der entrüstet schweigt, wenn von einem Gegenstand die Rede ist, der dem anderen bekannt ist, darbt als Hilfsbeamter, als Sammler obskurer Texte, als Übergangener. Moll, eifersüchtig darauf bedacht, daß man ihn verkennt und übergeht, rächt sich durch ätzende Bitterkeit, strafende Blicke an jeder schönen Frau, an einem Sonntag, an einer Frucht, an einer Gunst. Moll, der Märtyrer. Moll verachtet natürlich ihn, Molls alten Freund, weil er jetzt auf die Uhr sieht und merkt, daß es Zeit ist zu gehen. Moll, der nach der inneren Uhr lebt, die sein strenger Geist aufzieht, seine Gerechtsamkeit ticken läßt . . .
So vergeht ein Tag mit Zusammenstößen, und er erleidet sie in einer Welt, in der für ihn alle Menschen zu Geistern geworden sind. Er ist schlecht gegen Geister gewappnet. Das zeigt auch der folgende Tag.

Er trifft Moll wieder, da die Welt eines jeden voll von den Molls ist. Aber an diesen Moll erinnert er sich kaum. Es ist der Weißt-du-noch-Moll. Es nützt ihm nichts, keine Ahnung zu haben, denn Moll erinnert sich um so besser an alles. Moll erinnert ihn daran, wie er, Molls Mitschüler, zum erstenmal betrunken war und nur mehr lallen konnte, wie er sich übergeben mußte, und Moll hat ihn damals nach Hause gebracht. Moll weiß noch den Tag, an dem er, Molls Freund, eine Riesendummheit gemacht hat, Moll, der die Negative seines Lebens in der Hand hat, seine Pleiten, seine Gewöhnlichkeiten getreu aufbewahrt hat. Moll, der Kumpan, Moll, der mit ihm achtzehnjährig beim Militär war, Moll, der in der Erinnerung wieder bei der ›Wehrmacht‹ ist, Moll, der eine Sprache führt, die ihm Übelkeit verursacht, weil sie ihn glauben machen soll, er habe einmal die gleiche Sprache geführt. Moll, der ihn herausgehauen hat, Moll, der Stärkere, ihn, den Schwächeren. Moll, der die Dinge beim Namen nennt, was-ist-denn-aus-der-blonden-Puppe-geworden? heiraten-das-fehlt-noch! Moll, der schmiert, der sich auskennt, der sich kein X für ein U vormachen läßt, der die Weiber nimmt, wie sie genommen werden wollen, und die Chefs, die ihn können, der die Brüder kennt und die Weiber kennt. Moll, für den alles Politik ist und dem die Politik gestohlen werden kann, Moll, die Laus im Pelz, Moll, demzufolge der Krieg noch nicht verloren ist, der nächste jedenfalls, für den die Italiener ein Diebsgesindel sind, die Fran-

zosen verweichlicht, die Russen Untermenschen, und der weiß, wie die Engländer im Grunde sind und wie im Grund die Welt ist, ein Geschäft, ein Handel, ein Witz, eine Schweinerei. Moll: »Aber ich habe dich doch früher gekannt, mach mir nichts vor, mir kannst du nichts vormachen!«
Wie vermeidet man Moll? Welchen Sinn hat es, dieser Hydra Moll ein Haupt abzuschlagen, wenn ihr an Stelle eines jeden wieder zehn neue nachwachsen!
Wenn er sich auch nicht daran erinnert, Moll je ein Recht auf eine einzige dieser Erinnerungen eingeräumt zu haben, so weiß er doch, wie es in Zukunft sein wird: Moll wird an allen Ecken und Enden auftauchen, immer wieder.
Abstand, oder ich morde! Haltet Abstand von mir!
Am Ende einer dieser Nächte, in denen die Wiederbegegnungen über ihn und die anderen richteten, stand er mit drei Gestalten und einer jungen Frau, die er früher eine Zeitlang ohne Erfolg umworben hatte, vor einer Würstelbude. Er hatte zuvor mit Helene in einer Bar getanzt, seinen Mund auf ihrer Schulter bewegt. Er hatte sich nicht entschließen können, sie auf den Mund zu küssen, obwohl er sicher war, daß er es diesmal tun konnte. Trotzdem ging er mit ihr, nachdem sie sich von den anderen verabschiedet hatten, in ihre Wohnung und trank bei ihr Kaffee. Sie hatte eine Art, vage zu sprechen, die er sofort wieder annahm. Wahrscheinlich hatte er damals so mit ihr geredet, Zwischentöne gebraucht, Halbheiten geübt, Zwei-

deutigkeiten, und nun konnte nichts mehr klar und gerade werden zwischen ihnen. Es war spät, das Zimmer war verraucht, ihr Parfum verflogen. Ehe er ging, nahm er sie, zögernd und ausgehöhlt vor Müdigkeit, in den Arm. Er war sehr höflich; er wandte sich auf dem Treppenabsatz um, winkte zurück, als fiele es ihm schwer zu gehen. Es war seine letzte Heuchelei, und er sah dabei in ihr Gesicht, das ihn, hart und welk werdend, verscheuchte. Draußen war der Tag angebrochen oder was sich für Tag ausgab: Frühe, Nebel. Er erreichte das Hotel, übernächtig und schlafscheu, und bettete sich wie ein Kranker, schluckte zwei Tabletten und gab sich endlich auf. Er erwachte erst, als es schon wieder Abend war, warm und mit einem flauen Geschmack im Mund, der vom zu langen Schlaf herrührte und in dem ihm alle Begegnungen in der Stadt zergingen. Er packte seine Koffer, warf Hemden, Bürsten, Schuhe durcheinander hinein, als eilte es ihm sehr und als käme es auf kein Ordnungmachen mehr an. Auf dem Bahnhof erst suchte er nach einem Zug, mit dem Zeigefinger auf der Abfahrtliste.
Er geriet in den ungünstigsten Zug, einen Eilzug, der an jeder Station hielt, und mußte dann die halbe Nacht auf einem Provinzbahnhof, dessen Wartesaal geschlossen war, auf und ab gehen in der Winternacht, mit den Füßen auf den Boden trampeln und in die Hände klatschen. Er hätte sich gerne auf einen Gepäckwagen gesetzt und wäre eingeschlafen für immer. Aber ihm war nicht kalt genug, er war nicht müde genug.

Seine Verlassenheit reichte für ein solches Ende nicht aus. Auf der Weiterreise hörte er sich Geschichten eines Mitreisenden an, der ihm darlegte, wieviel Prozent aller Irren sich für Napoleon, wieviel für den letzten Kaiser, für Lindbergh, Hitler oder Gandhi hielten. Es erwachte Interesse in ihm, und er fragte, ob man sich denn ohne Schaden für sich selber halten könne und ob das nicht auch Irrsinn sei. Der Mann, ein Psychiater vermutlich, klopfte seine Pfeife aus, wechselte das Thema und erzählte von anderen Prozentsätzen und Therapien gegen diese und jene Prozente. Er stocherte mit dem Pfeifenputzer in seiner Nase und sagte: »Sie, zum Beispiel, Sie leiden an . . . Sie machen sich zuviel daraus . . . Daran leiden wir natürlich alle, es ist nichts Besonderes.«

Der nächste Zug trug ihn durch eine schauervolle Nacht – die Räder sprangen in größeren Stationen auf andere Schienen und rollten voll Erbitterung, während er, eingeklemmt mit zehn Personen in einem Abteil, nach Luft rang, zur Seite sah, wenn die ältliche Frau neben ihm ihr Kind stillte, wenn ihr Mann, sein bleichsüchtiges Gegenüber, ausspuckte nach jedem Hustenanfall, und er wurde darüber fast verrückt, daß ein anderer Mann an der Tür schnarchte. Die Füße und Beine aller kamen durcheinander, jeder kämpfte um fünf Zentimeter Platz und versuchte, die anderen zu verdrängen. Plötzlich entdeckte er sich dabei, wie auch er mit seinem Ellenbogen sich ausbreitete, um die Frau mit dem Kind zurückzudrängen.

Er war wieder mitten unter leibhaftigen Menschen, kämpfte zäh um seine Stellung, um seinen Platz, um sein Leben. Einmal schlief er kurz ein. Im Traum stürzte auf ihn die Stadt herab, mit der Karlskirche voran, mit ihren Palais und Parks und ganzen Straßenzügen; der Traum hatte wahrscheinlich nur eine Sekunde gedauert, denn er erwachte, tödlich erschreckt, von einem Schlag auf den Kopf. Er wußte sofort, ohne nachdenken zu müssen, daß der Zug mit einem anderen zusammengestoßen war. Ein Koffer war aus dem Netz gesprungen und hatte ihn getroffen. Er wußte auch sofort, daß der Zusammenstoß unerheblich war, denn es war nicht die Zeit, in der ihm etwas geschehen konnte. Keine frühe Vollendung. Kein früher Abgang. Keine herzbewegende Tragik. Nach ein paar Stunden konnte weitergefahren werden, alle waren erleichtert wie nach einer leichten Herzattacke. Niemand war verletzt, der Schaden gering. Er versuchte, sich an den Traum von der Stadt zu erinnern, den der Zusammenprall der Züge in ihm ausgelöst hatte oder der dem Ruck vorangegangen war, und es war ihm, als müßte er die Stadt nun nie wiedersehen, aber erinnern würde er sich von nun an für immer, wie sie war und wie er in ihr gelebt hatte.

Stadt ohne Gewähr!
Laßt mich nicht von irgendeiner Stadt reden, sondern von der einzigen, in der meine Ängste und Hoff-

nungen aus so vielen Jahren ins Netz gingen. Wie eine große, schlampige Fischerin sehe ich sie noch immer an dem großen gleichmütigen Strom sitzen und ihre silbrige und verweste Beute einziehen. Silbrig die Angst, verwest die Hoffnung.
Beim Schwarzwasser der Donau und dem Kastanienhimmel über den schimmelgrünen Kuppeln:
Laßt mich etwas von ihrem Geist hervorkehren aus dem Staub und ihren Ungeist dem Staub überantworten! Dann mag der Wind kommen und ein Herz hinwegfegen, das hier stolz und beleidigt war!
Strandgutstadt!
Denn Länder wurden an sie geschwemmt und Güter aus anderen Ländern: die Kreuzstichdecken der Slowaken und die pechigen Schnurrbärte der Montenegriner, die Eierkörbe der Bulgaren und ein aufsässiger Akzent aus Ungarn.
Türkenmondstadt! Barrikadenstadt!
Soviel zerbröckelter Stein, soviele hohle Wände sind da, daß man es flüstern hört von langher, von weither.
O alle die Nächte, die aufkamen in Wien, soviel bittere Nächte! Und alle die Tage, die es dir hinwarf mit dem Gesumm aus Schulhäusern und Irrenanstalten, Altersheimen und Krankenzimmern, wenig gelüftet und selten geweißt, alle die Tage, von ganz schüchternen Kastanienblüten umschwärmt! O alle die Fenster, die nie aufgingen, alle die Tore, als ging's durch kein Tor hinaus, als gäb es den Himmel nicht!

Endstadt! als gäb es kein Gleis hinaus!
Hofrätliches und Abgetretenes in Kanzleien. Nie ein hartes Wort in den Vorzimmern, immer ein kränkendes. (Hinhalten, nicht abweisen.)
Es ist die Frage, ob man lieben muß, was man nicht lieben mag, aber die Stadt ist schön und ein umständlicher Dichter stieg auf den Turm von St. Stephan und huldigte ihr.
Alles ist eine Frage des Nachgebens, des Beipflichtens. Aber einige tranken den Schierlingsbecher unbedingt.
Die üble Nachrede ist mit dem weichen Herz im Vertrag. Aber einige hatten ein Herz mit einem wilden flachsigen Muskel und eine Rede, die in Rom gegolten hätte. Sie waren feindselig, verhaßt und einsam. Sie dachten genau, hielten sich rein und ließen die Quallen unter sich.
Einige hatten Worte zur Verfügung, die sie wie Leuchtkäfer in die anbrechende Nacht schickten und über die Grenzen. Und einer hatte eine Stirn, die blau und tragisch erglühte zwischen den Gezeiten aus Sprachlosigkeit.
Scheiterhaufenstadt, in der die herrlichsten Musiken ins Feuer geworfen wurden, in der bespien und geschmäht wurde, was von den aufrechten Ketzern kam, den ungeduldigen Selbstmördern, den gründlichen Entdeckern, und alles, was von dem geradesten Geist war.
Schweigestadt! Stumme Inquisitorin mit dem unverbindlichen Lächeln.

– – – aber das Schluchzen aus lockeren Pflastersteinen, wenn einer darübertorkelt, jung, geschunden vom Schweigen, ermordet vom Lächeln. Wohin mit dem aufkommenden Schrei aus einer Tragödie?!
Komödiantenstadt! Stadt der frivolen Engel und einer Handvoll versatzamtreifer Dämonen.
Schüchterne Stadt im Zwiegespräch, schüchterner Keim in einem Gespräch von morgen.
Stadt der Witzmacher, der Speichellecker, der Spießgesellen. (Für eine Pointe wird eine Wahrheit geopfert, und gut gesagt ist halb gelogen.)
Peststadt mit dem Todesgeruch!
Beim Schwarzwasser der Donau und dem schmutzigen Öl in der Weite:
Laßt mich an den Glanz eines Tages denken, den ich auch gesehen habe, grün und weiß und nüchtern,
nach gefallenem Regen,
als die Stadt gewaschen war und gereinigt,
als sternförmig die Straßen von ihrem Kern,
ihrem starken Herz, ausliefen, gereinigt,
als die Kinder in allen Stockwerken eine neue Etüde zu üben anfingen,
als die Straßenbahnen vom Zentralfriedhof wiederkamen mit allen Kränzen und Asternsträußen vom vergangenen Jahr,
weil Auferstehung war,
vom Tod,
vom Vergessen!

Über das Ende der Reise schwieg er. Er hatte sie nicht beenden, sondern verschwinden wollen am Ende, spurlos, unauffindbar. Er hatte endlich die Mittel gefunden, sich im Geheimen einen Auftrag geben zu lassen, der ihn nach Indonesien geführt hätte. In Indonesien brach der Krieg aus, als er die Flugkarten lösen wollte. Der Auftrag wurde hinfällig, und um einen anderen – um in ein anderes fernes Land zu kommen – mochte er sich nicht mehr bemühen; er nahm es als ein Zeichen, daß er nicht gehen sollte. Er blieb in Rom. Gedacht hatte er es sich so: Weggehen mit ihr, deren Namen er nie auszusprechen wagte. Fliehen mit ihr, nie mehr zurückkommen nach Europa, einfach leben mit ihr, wo Sonne war, Früchte waren, mit ihrem Körper leben, in keinem anderen Zusammenhang mehr und fern von allem, was bisher gewesen war. In ihrem Haar leben, in ihrem Mundwinkel, in ihrem Schoß.
Er hat immer das Absolute geliebt und den Aufbruch dahin, und ›sie‹ war nun der erste Mensch, der ihm, in bezug auf einen anderen Menschen, den Wunsch eingab, aufzubrechen und ihn mitzunehmen dahin. In allen Augenblicken, wo dieses Äußerste ihm vorschwebte, wo es zum Greifen nah war, ist er ein Raub des Fiebers geworden, hat die Sprache verloren, sich verzehrt danach, die Sprache dafür zu finden. Er hat sich verzehrt danach, einen Schritt dahin tun zu können, wo dies Äußerste für ihn war und wollte handeln danach, ohne Rücksicht.
Aber immer ist dann einer auf ihn zugetreten, hat

ihm einen Brief überbracht, der ihn an eine früher eingegangene Verpflichtung mahnte, an einen Erkrankten, einen Angehörigen, einen Durchreisenden oder an einen Termin für eine Arbeit. Oder es hat sich einer in dem Moment, als er alle Fesseln abwerfen wollte, an ihn gehängt wie ein Ertrinkender.

»Laß mich in Frieden. Laß mich doch in Ruh!« hat er dann gesagt und ist ans Fenster getreten, als gäbe es draußen etwas Besonderes zu sehen.

»Aber wir müssen noch heute Klarheit haben. Wer hat damals angefangen? Wer hat zuerst gesagt ...?«

»Ich weiß nicht, was ich alles gesagt habe. Laß mich endlich in Ruh!«

»Und warum bist du so spät nach Hause gekommen, warum bist du so leise zur Tür herein? Hast du nicht etwas verbergen wollen? Oder gar dich!?«

»Ich habe nichts verbergen wollen. Laß mich!«

»Siehst du nicht, daß ich draufgehe, daß ich weine?«

»Gut, du weinst, du gehst drauf. Warum eigentlich?«

»Du bist fürchterlich und du weißt nicht, was du redest.«

Nein, das weiß er nicht. Er hat so oft um Frieden gebeten, aber sehr oft auch, ohne zu wissen warum, nur um sich endlich hinlegen zu können, um endlich das Licht löschen zu können, die Augen im Dunkeln in jene Ferne richten zu können, von der man ihn abbrachte.

Laßt mich in Frieden, so laßt mich doch einmal in Frieden! Er will wenigstens darüber nachdenken dürfen, warum er es aufgegeben hat, zu verschwinden, sich unsichtbar zu machen. Er wird sich nicht klar darüber. Aber es wird sich zeigen.

Wie alle Geschöpfe kommt er zu keinem Ergebnis. Er möchte nicht leben wie irgendeiner und nicht wie ein Besonderer. Er möchte mit der Zeit gehen und gegen sie stehen. Es lockt ihn, eine alte Bequemlichkeit zu loben, eine alte Schönheit, ein Pergament, eine Säule zu verteidigen. Aber es lockt ihn auch, die heutigen Dinge gegen die alten auszuspielen, einen Reaktor, eine Turbine, ein künstliches Material. Er möchte die Fronten und er möchte sie nicht. Er neigt dazu, Schwäche, Irrung und Dummheit zu verstehen, und er möchte sie bekämpfen, anprangern. Er duldet und duldet nicht. Haßt und haßt nicht. Kann nicht dulden und kann nicht hassen.
Auch das ist ein Grund zu verschwinden.
In seinem Tagebuch aus diesem Jahr stehen die Sätze:
»Ich liebe die Freiheit, die doch in allem Feststehenden zu Ende geht, und wünsche mir schwarze Erden und Katastrophen aus Licht. Aber auch dort ginge sie zu Ende, ich weiß.«
»Da es keine natürliche Untersagung und keinen natürlichen Auftrag gibt, also nicht nur erlaubt ist, was gefällt, sondern auch, was nicht gefällt (und wer weiß schon, was gefällt!), sind unzählige Gesetzgebungen und Moralsysteme möglich. Warum beschränken wir

uns auf ein paar vermischte Systeme, deren noch keiner froh geworden ist?«

»Im Moralhaushalt der Menschheit, der bald ökonomisch, bald unökonomisch geführt wird, herrschen immer Pietät und Anarchie zugleich. Die Tabus liegen unaufgeräumt herum wie die Enthüllungen.«

»Warum nur einige wenige Systeme zur Herrschaft gelangten? Weil wir so zäh festhalten an Gewohnheiten, aus Furcht vor einem Denken ohne Verbotstafeln und Gebotstafeln, aus Furcht vor der Freiheit. Die Menschen lieben die Freiheit nicht. Wo immer sie aufgekommen ist, haben sie sich verworfen mit ihr.«

»Ich liebe die Freiheit, die auch ich tausendmal verraten muß. Diese unwürdige Welt ist das Ergebnis eines ununterbrochenen Verwerfens der Freiheit.«

»Freiheit, die ich meine: die Erlaubnis, da Gott die Welt in nichts bestimmt hat und zu ihrem Wie nichts getan hat, sie noch einmal neu zu begründen und neu zu ordnen. Die Erlaubnis, alle Formen aufzulösen, die moralischen zuerst, damit sich alle anderen auflösen können. Die Vernichtung jedes Glaubens, jeder Art von Glauben, um die Gründe aller Kämpfe zu vernichten. Der Verzicht auf jede überkommene Anschauung und jeden überkommenen Zustand: auf die Staaten, die Kirchen, die Organisationen, die Machtmittel, das Geld, die Waffen, die Erziehung.«

»Der große Streik: der augenblickliche Stillstand der alten Welt. Die Niederlegung der Arbeit und des Denkens für diese alte Welt. Die Kündigung der Geschichte, nicht zugunsten der Anarchie, sondern zugunsten einer Neugründung.«

»Vorurteile – die Rassenvorurteile, Klassenvorurteile, religiösen Vorurteile und alle andern – bleiben ein Schimpf, selbst wenn sie durch Belehrung und Einsicht schwinden. Die Abschaffung von Unrecht, von Unterdrückung, jede Milderung von Härten, jede Verbesserung eines Zustandes hält doch noch die Schimpflichkeit von einst fest. Die Schändlichkeit, durch das Fortbestehen der Worte festgehalten, wird dadurch jederzeit wieder möglich gemacht.«

»Keine neue Welt ohne neue Sprache.«

Darüber ist es Frühling geworden. Eine Sonnenlache schwimmt in seinem Zimmer. Auf dem kleinen Platz vor dem Haus jubeln die Kinder, die Autohupen, die Vögel. Er muß sich zwingen, an dem Brief weiterzuschreiben. »Sehr geehrte Herren . . .« Er schreibt den Herren nicht, was die Wahrheit ist: daß er aus Gleichgültigkeit, Erschöpfung und weil er nichts mehr besseres weiß, zu Kreuz kriechen will. Ach, was heißt schon »zu Kreuz kriechen«! Nur keine großen Worte mehr! »Auf Ihr freundliches Angebot zurückkommend . . .« Ist es etwa nicht ein freundliches Angebot? Es wird angemessen sein, und es gibt wirklich keinen Grund, sich zu gut dafür vorzukommen. »Am 1. des Monats, wie Sie es wünschen, werde ich Ihnen zur Verfügung stehen. Ich hoffe . . .«

Er hofft gar nichts. Er überlegt gar nichts. Mit dem künftigen Ort und der künftigen Arbeit sich zu befassen, wird noch genug Zeit sein. Er ist mit allen Bedingungen einverstanden und stellt selber keine. Er klebt den Brief rasch und ohne Zögern zu und gibt ihn auf. Er packt seine Siebensachen, die paar Bücher, Aschenbecher, das bißchen Geschirr, läßt den Hausverwalter kommen, spricht mit ihm das Inventar durch und verläßt die Wohnung, in der er nicht heimisch geworden ist. Er hat aber noch Zeit bis zu diesem 1. des Monats und macht darum eine umständliche Anreise, langsam und genießerisch, durch die italienischen Provinzen. In Genua kommt ihn die Lust an, wieder einmal zu wandern wie in seiner Jugend, wie nach der Zeit der Gefangenschaft, als er den Weg aus dem Krieg zurück, in den er mit einem Schnellzug gefahren war, zu Fuß gesucht hatte. Er schickt seine Koffer voraus und geht übers Land, zwischen den erwachenden Reisfeldern, gegen Norden. Und weil er todmüde ist am zweiten Abend von der ungewohnten Anstrengung, tut er, was er auch schon lange nicht mehr getan hat. Er stellt sich an den Straßenrand der Autostraße nach Mailand und versucht, einen Wagen anzuhalten. Es dunkelt, aber niemand will ihn mitnehmen, bis er, schon ohne Hoffnung, noch einmal einem Auto von weitem winkt. Und dieser Wagen hält an, leise, fast lautlos. Er bringt dem Mann am Steuer, der allein ist, verlegen seinen Wunsch vor, fühlt sich schmutzig wie ein Stromer und setzt sich, deswegen eingeschüchtert, neben ihn. Er sitzt lange schweigsam und sieht manchmal den Mann verstohlen von der Seite an. Er mußte sein Alter haben. Das Gesicht gefällt ihm, die Hände gefallen ihm, die lokker auf dem Lenkrad liegen. Sein Blick geht weiter und bleibt auf dem Tachometer liegen, wo die Nadel rasch aufrückt, von 100 auf 120 und dann auf 140. Er wagt nicht zu sagen, daß er lieber langsamer fahren möchte, daß er plötzlich Furcht hat vor jeder Geschwindigkeit. Er hat es nicht eilig, in ein geordnetes Leben zu kommen.

Der junge Mann sagt plötzlich: »Ich nehme sonst nie jemand mit.« Und dann, als wollte er sich entschuldigen für sein Fahren: »Ich muß noch vor Mitternacht im Zentrum sein.«

Er sieht wieder den Mann an, der unverwandt nach vorn blickt, wo die Scheinwerfer das schwarze Knäuel aus Wald, Masten, Mauern und Büschen entwirren. Er fühlt sich jetzt ruhiger und seltsam wohl, aber sprechen möchte er gerne und die hellen Augen des Mannes wieder auf sich gerichtet fühlen, die ihn nur kurz gestreift haben.

Ja, hell mußten sie sein, er wollte es so, und er wollte sprechen und den Mann zum Beispiel fragen, ob dieses Jahr auch für ihn so schwer sei und was zu tun sei, was man zu halten habe von allem. In sich begann er dieses Gespräch mit dem Mann zu führen, während sie auf den niedrigen Vordersitzen, wie zwei Schüler, zusammengetan für eine Lektion, durch die Nacht getragen wurden, eine große Nacht, in der alle Gegenstände groß und fremd erschienen. Vor ihnen tauchte ein Lastwagen auf, sie näherten sich ihm schnell, bogen aus, aber als sie auf gleicher Höhe mit ihm waren, bog auch der Lastwagen aus, um in einen Seitenweg abzuschwenken.

Sie flogen wenige Meter vor und gegen eine Mauer.

Als er wieder zu sich kam, merkte er, daß er aufgehoben wurde; er verlor sofort wieder das Bewußtsein, spürte manchmal leichte Erschütterungen, ahnte für Augenblicke, was mit ihm geschah: er mußte in einem Krankenhaus sein, auf einem fahrbaren Bett, man gab ihm eine Spritze, redete über ihn hinweg. In seinem Kopf lichtete es sich erst, als er im Operationssaal war. Vorbereitungen waren im Gang, zwei Ärzte in Masken machten sich an einem Tisch zu schaffen, eine Ärztin näherte sich ihm, griff nach seinem Arm, rieb darauf herum, es kitzelte ein wenig, war angenehm. Plötzlich fiel ihm ein, daß es ja ernst war, und er dachte ganz still, er würde nicht mehr aufwachen, wenn sie ihn in diesen Schlaf versenkten. Er wollte etwas sagen, suchte mit der Zunge nach seiner Stimme und war glücklich, als er die paar Worte geläufig hervorbrachte. Er bat um ein Blatt Papier und einen Bleistift. Eine Schwester brachte ihm beides, und er hielt nun, während die Narkose ganz langsam zu wirken anfing, den Bleistift, setzte ihn an auf dem Papier, das die Schwester ihm auf einer Unterlage hinhielt. Er strichelte vorsichtig: »Liebe Eltern . . .« Dann durchkreuzte er die zwei Worte rasch und schrieb: »Liebste . . .« Er hielt inne und dachte angestrengt nach. Er gab, indem er es zerknüllte, das Papier der Schwester zurück und schüttelte den Kopf, um ihr zu bedeuten, daß es keinen Sinn habe. Wenn er nicht mehr erwachen sollte, konnten auch solche Briefe keinen Sinn mehr haben. Er lag mit schweren Lidern da und wartete, wunderbar erschlafft, die Bewußtlosigkeit ab.

Dieses Jahr hat ihm die Knochen zerbrochen. Er liegt mit ein paar kunstvollen blau-rot unterlaufenen Narben in der Klinik und zählt die Tage nicht, bis ihm der Gipspanzer abgenommen werden soll, unter dem er zu heilen verspricht. Der Unbekannte – das hat er nun erfahren – war auf der Stelle tot gewesen. Er denkt manchmal an ihn und starrt an die Zimmerdecke. Er denkt an ihn wie an einen, der an seiner Statt gestorben ist, und er sieht ihn vor sich, mit dieser hellen Spannung im Gesicht, den jungen festen Händen am Steuer, sieht ihn auf die Mitte des Dunkels in der Welt zurasen und dort in Flammen aufgehen.

Es ist Mai geworden. Die Blumen in seinem Zimmer werden täglich durch frische und farbigere ersetzt. Die Rolläden sind mittags für Stunden heruntergelassen, und der Duft in dem Zimmer wird bewahrt.

Könnte er jetzt sein Gesicht sehen, so wäre es das eines jungen Menschen, und er würde auch nicht daran zweifeln, daß er jung ist. Denn uralt hat er sich nur gefühlt, als er sehr viel jünger gewesen war, seinen Kopf hängen ließ und die Schultern einzog, weil ihn seine Gedanken und sein Körper zu sehr beunruhigten. Als er sehr jung gewesen war, hatte er sich einen frühen Tod gewünscht, hatte nicht einmal dreißig Jahre alt werden wollen. Aber jetzt wünschte er sich das Leben. Damals hatten in seinem Kopf nur die Interpunktionszeichen für die Welt geschaukelt, aber jetzt kamen ihm die ersten Sätze zu, in denen die Welt auftrat. Damals hatte er gemeint, alles schon zu Ende denken zu können, und hatte kaum gemerkt, daß er ja erst die ersten Schritte in eine Wirklichkeit tat, die sich nicht gleich zu Ende denken ließ und die ihm noch vieles vorenthielt.

Lange hatte er auch nicht gewußt, was er glauben sollte und ob es nicht überhaupt schmählich war, etwas zu glauben. Jetzt begann er sich selbst zu glauben, wenn er etwas tat oder sich äußerte. Er faßt Vertrauen zu sich. Den Dingen, die er sich nicht beweisen mußte, den Poren auf seiner Haut, dem Salzgeschmack des Meeres, der fruchtigen Luft und einfach allem, was nicht allgemein war, vertraute er auch.

Als er kurz vor seiner Entlassung aus der Klinik zum erstenmal in einen Spiegel sah, weil er sich die Haare selber kämmen wollte, und sich, wohlbekannt und zugleich ein wenig durchsichtiger, vor dem Kissenberg im Rücken aufgerichtet erblickte, entdeckte er inmitten der verklebten braunen Haare ein glänzendes weißes Etwas. Er befühlte es, rückte mit dem Spiegel näher: ein weißes Haar! Sein Herz schlug im Hals.

Er blickte das Haar töricht und unverwandt an.
Am Tag darauf nahm er wieder den Spiegel vor, fürchtete, mehr weiße Haare zu finden, aber da lag wieder nur das eine, und dabei blieb es.
Endlich sagte er sich: Ich lebe ja, und mein Wunsch ist es, noch lange zu leben. Das weiße Haar, dieser helle Beweis eines Schmerzes und eines ersten Alters, wie hat es mich nur so erschrecken können? Es soll stehenbleiben, und wenn es nach ein paar Tagen ausgefallen ist und so rasch kein anderes mehr erscheint, werde ich doch einen Vorgeschmack behalten und nie mehr Furcht empfinden vor dem Prozeß, der mir leibhaftig gemacht wird.
Ich lebe ja!
Er wird bald geheilt sein.
Er wird bald dreißig Jahre alt sein. Der Tag wird kommen, aber niemand wird an einen Gong schlagen und ihn künden. Nein, der Tag wird nicht kommen – er war schon da, enthalten in allen Tagen dieses Jahres, das er mit Mühe und zur Not bestanden hat. Er ist lebhaft mit dem Kommenden befaßt, denkt an Arbeit und wünscht sich, durch das Tor unten bald hinausgehen zu können, weg von den Verunglückten, den Hinfälligen und Moribunden.
Ich sage dir: Steh auf und geh! Es ist dir kein Knochen gebrochen.

ALLES

Wenn wir uns, wie zwei Versteinte, zum Essen setzen oder abends an der Wohnungstür zusammentreffen, weil wir beide gleichzeitig daran denken, sie abzusperren, fühle ich unsere Trauer wie einen Bogen, der von einem Ende der Welt zum anderen reicht – also von Hanna zu mir –, und an dem gespannten Bogen einen Pfeil bereitet, der den unbewegten Himmel ins Herz treffen müßte. Wenn wir zurückgehen durch das Vorzimmer, ist sie zwei Schritte vor mir, sie geht ins Schlafzimmer, ohne »Gute Nacht« zu sagen, und ich flüchte mich in mein Zimmer, an meinen Schreibtisch, um dann vor mich hinzustarren, ihren gesenkten Kopf vor Augen und ihr Schweigen im Ohr. Ob sie sich hinlegt und zu schlafen versucht oder wach ist und wartet? Worauf? – da sie nicht auf mich wartet!

Als ich Hanna heiratete, geschah es weniger ihretwegen, als weil sie das Kind erwartete. Ich hatte keine Wahl, brauchte keinen Entschluß zu fassen. Ich war bewegt, weil sich etwas vorbereitete, das neu war und von uns kam, und weil mir die Welt zuzunehmen schien. Wie der Mond, gegen den man sich dreimal verbeugen soll, wenn er neu erscheint und zart und hauchfarben am Anfang seiner Bahn steht. Es gab Augenblicke der Abwesenheit, die ich vorher nicht gekannt hatte. Selbst im Büro – obwohl ich mehr als genug zu tun hatte – oder während einer Konferenz entrückte ich plötzlich in diesen Zustand, in dem ich mich nur dem Kind zuwandte, diesem unbekannten, schemenhaften Wesen, und ihm entgegenging mit all meinen Gedanken bis in den warmen lichtlosen Leib, in dem es gefangen lag.

Das Kind, das wir erwarteten, veränderte uns. Wir gingen kaum mehr aus und vernachlässigten unsere Freunde; wir suchten eine größere Wohnung und richteten uns besser und endgültiger ein. Aber des Kindes wegen, auf das ich wartete, begann alles sich für mich zu verändern; ich kam auf Gedanken, unvermutet, wie man auf Minen kommt, von solcher Sprengkraft, daß ich hätte zurückschrecken müssen, aber ich ging weiter, ohne Sinn für die Gefahr.

Hanna mißverstand mich. Weil ich nicht zu entscheiden wußte, ob der Kinderwagen große oder kleine Räder haben solle, schien ich gleichgültig. (Ich weiß wirklich nicht. Ganz wie du willst. Doch, ich höre.) Wenn ich mit ihr in Geschäften herumstand, wo sie Hauben, Jäckchen und Windeln aussuchte, zwischen Rosa und Blau, Kunstwolle und echter Wolle schwankte, warf sie mir vor, daß ich nicht bei der Sache sei. Aber ich war es nur zu sehr.

Wie soll ich bloß ausdrücken, was in mir vorging? Es erging mir wie einem Wilden, der plötzlich aufgeklärt wird, daß die Welt, in der er sich bewegt, zwischen Feuerstätte und Lager, zwischen Sonnenaufgang und Sonnenuntergang, zwischen Jagd und Mahlzeit, auch die Welt ist, die Jahrmillionen alt ist und vergehen wird, die einen nichtigen Platz unter vielen Sonnensystemen hat, die sich mit großer Geschwindigkeit um sich selbst und zugleich um die Sonne dreht. Ich sah mich mit einemmal in anderen Zusammenhängen, mich und das Kind, das zu einem bestimmten Zeitpunkt, Anfang oder Mitte November, an die Reihe kommen sollte mit seinem Leben, genauso wie einst ich, genau wie alle vor mir.

Man muß es sich nur recht vorstellen. Diese ganze Abstammung! Wie vorm Einschlafen die schwarzen und weißen Schafe (ein schwarzes, ein weißes, ein schwarzes, ein weißes, und so fort), eine Vorstellung, die einen bald stumpf und dösig und bald verzweifelt wach machen kann. Ich habe nach diesem Rezept nie einschlafen können, obwohl Hanna, die es von ihrer Mutter hat, beschwört, es sei beruhigender als ein Schlafmittel. Vielleicht ist es für viele beruhigend, an diese Kette zu denken: Und Sem zeugte Arpachsad. Als Arpachsad fünfunddreißig Jahre alt war, zeugte er den Selah. Und Selah zeugte den Hebèr. Und Heber den Peleg. Als Peleg dreißig Jahre alt war, zeugte er den Regu, Regu den Serug und Serug den Nahor, und jeder außerdem noch viele Söhne und Töchter danach, und die Söhne zeugten immer wieder Söhne, nämlich Nahor den Tharah und Tharah den Abram,

den Nahor und den Haran. Ich probierte ein paarmal, diesen Prozeß durchzudenken, nicht nur nach vorn, sondern auch nach hinten, bis zu Adam und Eva, von denen wir wohl kaum abstammen, oder bis zu den Hominiden, von denen wir vielleicht herkommen, aber es gibt in jedem Fall ein Dunkel, in dem diese Kette sich verliert, und daher ist es auch belanglos, ob man sich an Adam und Eva oder an zwei andere Exemplare klammert. Nur wenn man sich nicht anklammern möchte und besser fragt, wozu jeder einmal an der Reihe war, weiß man mit der Kette nicht ein und aus und mit all den Zeugungen nichts anzufangen, mit den ersten und letzten Leben nichts. Denn jeder kommt nur einmal an die Reihe für das Spiel, das er vorfindet und zu begreifen angehalten wird: Fortpflanzung und Erziehung, Wirtschaft und Politik, und beschäftigen darf er sich mit Geld und Gefühl, mit Arbeit und Erfindung und der Rechtfertigung der Spielregel, die sich Denken nennt.
Da wir uns aber schon einmal so vertrauensvoll vermehren, muß man sich wohl abfinden. Das Spiel braucht die Spieler. (Oder brauchen die Spieler das Spiel?) Ich war ja auch so vertrauensvoll in die Welt gesetzt worden, und nun hatte ich ein Kind in die Welt gesetzt.
Jetzt zitterte ich schon bei dem Gedanken.
Ich fing an, *alles* auf das Kind hin anzusehen. Meine Hände zum Beispiel, die es einmal berühren und halten würden, unsere Wohnung im dritten Stock, die

Kandlgasse, den VII. Bezirk, die Wege kreuz und quer durch die Stadt bis hinunter zu den Praterauen und schließlich die ganze angeräumte Welt, die ich ihm erklären würde. Von mir sollte es die Namen hören: Tisch und Bett, Nase und Fuß. Auch Worte wie: Geist und Gott und Seele, meinem Dafürhalten nach unbrauchbare Worte, aber verheimlichen konnte man sie nicht, und später Worte, so komplizierte wie: Resonanz, Diapositiv, Chiliasmus und Astronautik. Ich würde dafür zu sorgen haben, daß mein Kind erfuhr, was alles bedeutete und wie alles zu gebrauchen sei, eine Türklinke und ein Fahrrad, ein Gurgelwasser und ein Formular. In meinem Kopf wirbelte es.

Als das Kind kam, hatte ich natürlich keine Verwendung für die große Lektion. Es war da, gelbsüchtig, zerknittert, erbarmungswürdig, und ich war auf eins nicht vorbereitet – daß ich ihm einen Namen geben mußte. Ich einigte mich in aller Eile mit Hanna, und wir ließen drei Namen ins Register eintragen. Den meines Vaters, den ihres Vaters und den meines Großvaters. Von den drei Namen wurde nie einer verwendet. Am Ende der ersten Woche hieß das Kind Fipps. Ich weiß nicht, wie es dazu kam. Vielleicht war ich sogar mitschuldig, denn ich versuchte, wie Hanna, die ganz unerschöpflich im Erfinden und Kombinieren von sinnlosen Silben war, es mit Kosenamen zu rufen, weil die eigentlichen Namen so gar nicht passen wollten auf das winzige nackte Geschöpf. Aus dem Hin und Her von Anbiederungen entstand dieser Name, der mich immer mehr aufgebracht hat im Lauf der Jahre. Manchmal legte ich ihn sogar dem Kind selbst zur Last, als hätte es sich wehren können, als wäre alles kein Zufall gewesen. Fipps! Ich werde ihn weiter so nennen müssen, ihn lächerlich machen müssen über den Tod hinaus und uns dazu.

Als Fipps in seinem blauweißen Bett lag, wachend, schlafend, und ich nur dazu taugte, ihm ein paar Speicheltropfen oder säuerliche Milch vom Mund zu wischen, ihn aufzuheben, wenn er schrie, in der Hoffnung, ihm Erleichterung zu verschaffen, dachte ich zum erstenmal, daß auch er etwas vorhabe mit mir, daß er mir aber Zeit lasse, dahinter zu kommen, ja unbedingt Zeit lassen wolle, wie ein Geist, der einem erscheint und ins Dunkel zurückkehrt und wiederkommt, die gleichen undeutbaren Blicke aussendend. Ich saß oft neben seinem Bett, sah nieder auf dieses wenig bewegte Gesicht, in diese richtungslos blickenden Augen und studierte seine Züge wie eine überlieferte Schrift, für deren Entzifferung es keinen Anhaltspunkt gibt. Ich war froh zu merken, daß Hanna sich unbeirrt an das Nächstliegende hielt, ihm zu trinken gab, ihn schlafen ließ, weckte, umbettete, wickelte, wie es die Vorschrift war. Sie putzte ihm die Nase mit kleinen Wattepfröpfchen und stäubte eine Puderwolke zwischen seine dicken Schenkel, als wäre ihm und ihr damit für alle Zeit geholfen.

Nach ein paar Wochen versuchte sie, ihm ein erstes Lächeln zu entlocken. Aber als er uns dann damit

überraschte, blieb die Grimasse doch rätselvoll und beziehungslos für mich. Auch wenn er seine Augen immer häufiger und genauer auf uns richtete oder die Ärmchen ausstreckte, kam mir der Verdacht, daß nichts gemeint sei und daß wir nur anfingen, ihm die Gründe zu suchen, die er später einmal annehmen würde. Nicht Hanna, und vielleicht kein Mensch, hätte mich verstanden, aber in dieser Zeit begann meine Beunruhigung. Ich fürchte, ich fing damals schon an, mich von Hanna zu entfernen, sie immer mehr auszuschließen und fernzuhalten von meinen wahren Gedanken. Ich entdeckte eine Schwachheit in mir – das Kind hatte sie mich entdecken lassen – und das Gefühl, einer Niederlage entgegenzugehen. Ich war dreißig Jahre alt wie Hanna, die zart und jung aussah wie nie zuvor. Aber mir hatte das Kind keine neue Jugend gegeben. In dem Maß, in dem es seinen Kreis vergrößerte, steckte ich den meinen zurück. Ich ging an die Wand, bei jedem Lächeln, jedem Jubel, jedem Schrei. Ich hatte nicht die Kraft, dieses Lächeln, dieses Gezwitscher, diese Schreie im Keim zu ersticken. Darauf wäre es nämlich angekommen!
Die Zeit, die mir blieb, verging rasch. Fipps saß aufrecht im Wagen, bekam die ersten Zähne, jammerte viel; bald streckte er sich, stand schwankend, zusehends fester, rutschte auf Knien durchs Zimmer, und eines Tages kamen die ersten Worte. Es war nicht mehr aufzuhalten, und ich wußte noch immer nicht, was zu tun war.

Was nur? Früher hatte ich gedacht, ihn die Welt lehren zu müssen. Seit den stummen Zwiesprachen mit ihm war ich irregeworden und anders belehrt. Hatte ich es, zum Beispiel, nicht in der Hand, ihm die Benennung der Dinge zu verschweigen, ihn den Gebrauch der Gegenstände nicht zu lehren? Er war der erste Mensch. Mit ihm fing alles an, und es war nicht gesagt, daß alles nicht auch ganz anders werden konnte durch ihn. Sollte ich ihm nicht die Welt überlassen, blank und ohne Sinn? Ich mußte ihn ja nicht einweihen in Zwecke und Ziele, nicht in Gut und Böse, in das, was wirklich ist und was nur so scheint. Warum sollte ich ihn zu mir herüberziehen, ihn wissen und glauben, freuen und leiden machen! Hier, wo wir stehen, ist die Welt die schlechteste aller Welten, und keiner hat sie verstanden bis heute, aber wo er stand, war nichts entschieden. Noch nichts. Wie lange noch?

Und ich wußte plötzlich: alles ist eine Frage der Sprache und nicht nur dieser einen deutschen Sprache, die mit anderen geschaffen wurde in Babel, um die Welt zu verwirren. Denn darunter schwelt noch eine Sprache, die reicht bis in die Gesten und Blicke, das Abwickeln der Gedanken und den Gang der Gefühle, und in ihr ist schon all unser Unglück. Alles war eine Frage, ob ich das Kind bewahren konnte vor unserer Sprache, bis es eine neue begründet hatte und eine neue Zeit einleiten konnte.

Oft ging ich mit Fipps allein aus dem Haus, und wenn

ich an ihm wiederfand, was Hanna an ihm begangen hatte, Zärtlichkeiten, Koketterien, Spielereien, entsetzte ich mich. Er geriet uns nach. Aber nicht nur Hanna und mir, nein, den Menschen überhaupt. Doch es gab Augenblicke, in denen er sich selbst verwaltete, und dann beobachtete ich ihn inständig. Alle Wege waren ihm gleich. Alle Wesen gleich. Hanna und ich standen ihm gewiß nur näher, weil wir uns andauernd in seiner Nähe zu schaffen machten. Es war ihm gleich. Wie lange noch?

Er fürchtete sich. Aber noch nicht vor einer Lawine oder einer Niedertracht, sondern vor einem Blatt, das an einem Baum in Bewegung geriet. Vor einem Schmetterling. Die Fliegen erschreckten ihn maßlos. Und ich dachte: wie wird er leben können, wenn erst ein ganzer Baum sich im Wind biegen wird und ich ihn so im unklaren lasse!

Er traf mit einem Nachbarskind auf der Treppe zusammen; er griff ihm ungeschickt mitten ins Gesicht, wich zurück, und wußte vielleicht nicht, daß er ein Kind vor sich hatte. Früher hatte er geschrien, wenn er sich schlecht fühlte, aber wenn er jetzt schrie, ging es um mehr. Vor dem Einschlafen geschah es oft oder wenn man ihn aufhob, um ihn zu Tisch zu bringen, oder wenn man ihm ein Spielzeug wegnahm. Eine große Wut war in ihm. Er konnte sich auf den Boden legen, im Teppich festkrallen und brüllen, bis sein Gesicht blau wurde und ihm Schaum vor dem Mund stand. Im Schlaf schrie er auf, als hätte sich ein Vam-

pir auf seine Brust gesetzt. Diese Schreie bestärkten mich in der Meinung, daß er sich noch zu schreien traute und seine Schreie wirkten.
O eines Tages!
Hanna ging mit zärtlichen Vorwürfen herum und nannte ihn ungezogen. Sie drückte ihn an sich, küßte ihn oder blickte ihn ernst an und lehrte ihn, seine Mutter nicht zu kränken. Sie war eine wundervolle Versucherin. Sie stand unentwegt über den namenlosen Fluß gebeugt und wollte ihn herüberziehen, ging auf und ab an unserem Ufer und lockte ihn mit Schokoladen und Orangen, Brummkreiseln und Teddybären.
Und wenn die Bäume Schatten warfen, meinte ich, eine Stimme zu hören: Lehr ihn die Schattensprache! Die Welt ist ein Versuch, und es ist genug, daß dieser Versuch immer in derselben Weise wiederholt worden ist mit demselben Ergebnis. Mach einen anderen Versuch! Laß ihn zu Schatten gehn! Das Ergebnis war bisher: ein Leben in Schuld, Liebe und Verzweiflung. (Ich hatte begonnen, an alles im allgemeinen zu denken; mir fielen dann solche Worte ein.) Ich aber könnte ihm die Schuld ersparen, die Liebe und jedes Verhängnis und ihn für ein anderes Leben freimachen.
Ja, sonntags wanderte ich mit ihm durch den Wienerwald, und wenn wir an ein Wasser kamen, sagte es in mir: Lehr ihn die Wassersprache! Es ging über Steine. Über Wurzeln. Lehr ihn die Steinsprache! Wurzle

ihn neu ein! Die Blätter fielen, denn es war wieder Herbst. Lehr ihn die Blättersprache!
Aber da ich kein Wort aus solchen Sprachen kannte oder fand, nur meine Sprache hatte und nicht über deren Grenze gelangen konnte, trug ich ihn stumm die Wege hinauf und hinunter und wieder heim, wo er lernte, Sätze zu bilden und in die Falle ging. Er äußerte schon Wünsche, sprach Bitten aus, befahl oder redete um des Redens willen. Auf späteren Sonntagsgängen riß er Grashalme aus, hob Würmer auf, fing Käfer ein. Jetzt waren sie ihm schon nicht mehr gleich, er untersuchte sie, tötete sie, wenn ich sie ihm nicht noch rechtzeitig aus der Hand nahm. Zu Hause zerlegte er Bücher und Schachteln und seinen Hampelmann. Er riß alles an sich, biß hinein, betastete alles, warf es weg oder nahm es an! O eines Tages. Eines Tages würde er Bescheid wissen.
Hanna hat mich, in dieser Zeit, als sie noch mitteilsamer war, oft auf das, was Fipps sagte, aufmerksam gemacht; sie war bezaubert von seinen unschuldigen Blicken, unschuldigen Reden und seinem Tun. Ich aber konnte überhaupt keine Unschuld in dem Kind entdecken, seit es nicht mehr wehrlos und stumm wie in den ersten Wochen war. Und damals war es wohl nicht unschuldig, sondern nur unfähig zu einer Äußerung gewesen, ein Bündel aus feinem Fleisch und Flachs, mit dünnem Atem, mit einem riesigen dumpfen Kopf, der wie ein Blitzableiter die Botschaften der Welt entschärfte.

In einer Sackgasse neben dem Haus durfte der ältere Fipps öfter mit anderen Kindern spielen. Einmal, gegen Mittag, als ich nach Hause wollte, sah ich ihn mit drei kleinen Buben Wasser in einer Konservenbüchse auffangen, das längs dem Randstein abfloß. Dann standen sie im Kreis, redeten. Es sah wie eine Beratung aus. (So berieten Ingenieure, wo sie mit den Bohrungen beginnen, wo den Einstich machen sollten.) Sie hockten sich auf das Pflaster nieder, und Fipps, der die Büchse hielt, war schon dabei, sie auszuschütten, als sie sich wieder erhoben, drei Pflastersteine weitergingen. Aber auch dieser Platz schien sich für das Vorhaben nicht zu eignen. Sie erhoben sich noch einmal. Es lag eine Spannung in der Luft. Welch männliche Spannung! Es mußte etwas geschehen! Und dann fanden sie, einen Meter entfernt, den Ort. Sie hockten sich wieder nieder, verstummten, und Fipps neigte die Büchse. Das schmutzige Wasser floß über die Steine. Sie starrten darauf, stumm und feierlich. Es war geschehen, vollbracht. Vielleicht gelungen. Es mußte gelungen sein. Die Welt konnte sich auf diese kleinen Männer verlassen, die sie weiter brachten. Sie würden sie weiterbringen, dessen war ich nun ganz sicher. Ich ging ins Haus, nach oben, und warf mich auf das Bett in unserem Schlafzimmer. Die Welt war weitergebracht worden, der Ort war gefunden, von dem aus man sie vorwärtsbrachte, immer in dieselbe Richtung. Ich hatte gehofft, mein Kind werde die Richtung nicht finden. Und einmal, vor langer Zeit, hatte ich sogar gefürchtet, daß es sich nicht zurechtfinden werde. Ich Narr hatte gefürchtet, es werde die Richtung nicht finden!

Ich stand auf und schüttete mir ein paar Hände voll kaltes Leitungswasser ins Gesicht. Ich wollte dieses Kind nicht mehr. Ich haßte es, weil es zu gut verstand, weil ich es schon in allen Fußtapfen sah.

Ich ging herum und dehnte meinen Haß aus auf alles, was von den Menschen kam, auf die Straßenbahnlinien, die Hausnummern, die Titel, die Zeiteinteilung, diesen ganzen verfilzten, ausgeklügelten Wust, der sich Ordnung nennt, gegen die Müllabfuhr, die Vorlesungsverzeichnisse, Standesämter, diese ganzen erbärmlichen Einrichtungen, gegen die man nicht mehr anrennen kann, gegen die auch nie jemand anrennt, diese Altäre, auf denen ich geopfert hatte, aber nicht gewillt war, mein Kind opfern zu lassen. Wie kam mein Kind dazu? Es hatte die Welt nicht eingerichtet, hatte ihre Beschädigung nicht verursacht. Warum sollte es sich darin einrichten! Ich schrie das Einwohneramt und die Schulen und die Kasernen an: Gebt ihm eine Chance! Gebt meinem Kind, eh es verdirbt, eine einzige Chance! Ich wütete gegen mich, weil ich meinen Sohn in diese Welt gezwungen hatte und nichts zu seiner Befreiung tat. Ich war es ihm schuldig, ich mußte handeln, mit ihm weggehen, mit ihm auf eine Insel verziehen. Aber wo gibt es diese Insel, von der aus ein neuer Mensch eine neue Welt begründen kann? Ich war mit dem Kind gefangen und verurteilt von vornherein, die alte Welt mitzumachen. Darum ließ ich das Kind fallen. Ich ließ es aus meiner Liebe fallen. Dieses Kind war ja zu allem fähig, nur dazu nicht, auszutreten, den Teufelskreis zu durchbrechen.

Fipps verspielte die Jahre bis zur Schule. Er verspielte sie im wahrsten Sinn des Wortes. Ich gönnte ihm Spiele, aber nicht diese, die ihn hinwiesen auf spätere Spiele. Verstecken und Fangen, Abzählen und Ausscheiden, Räuber und Gendarm. Ich wollte für ihn ganz andere, reine Spiele, andere Märchen als die bekannten. Aber mir fiel nichts ein, und er war nur auf Nachahmung aus. Man hält es nicht für möglich, aber es gibt keinen Ausweg für unsereins. Immer wieder teilt sich alles in oben und unten, gut und böse, hell und dunkel, in Zahl und Güte, Freund und Feind, und wo in den Fabeln andere Wesen oder Tiere auftauchen, nehmen sie gleich wieder die Züge von Menschen an.

Weil ich nicht mehr wußte, wie und woraufhin ich ihn bilden sollte, gab ich es auf. Hanna merkte, daß ich mich nicht mehr um ihn kümmerte. Einmal versuchten wir, darüber zu sprechen, und sie starrte mich an wie ein Ungeheuer. Ich konnte nicht alles vorbringen, weil sie aufstand, mir das Wort abschnitt und ins Kinderzimmer ging. Es war abends, und von diesem Abend an begann sie, die früher so wenig wie ich auf die Idee gekommen wäre, mit dem Kind zu beten: Müde bin ich, geh zur Ruh. Lieber Gott, mach mich

fromm. Und ähnliches. Ich kümmerte mich auch darum nicht, aber sie werden es wohl weit gebracht haben in ihrem Repertoire. Ich glaube, sie wünschte damit, ihn unter einen Schutz zu stellen. Es wäre ihr alles recht gewesen, ein Kreuz oder ein Maskottchen, ein Zauberspruch oder sonstwas. Im Grund hatte sie recht, da Fipps bald unter die Wölfe fallen und bald mit den Wölfen heulen würde. ›Gott befohlen‹ war vielleicht die letzte Möglichkeit. Wir lieferten ihn beide aus, jeder auf seine Weise.
Wenn Fipps mit einer schlechten Note aus der Schule heimkam, sagte ich kein Wort, aber ich tröstete ihn auch nicht. Hanna quälte sich insgeheim. Sie setzte sich regelmäßig nach dem Mittagessen hin und half ihm bei seinen Aufgaben, hörte ihn ab. Sie machte ihre Sache so gut, wie man sie nur machen kann. Aber ich glaubte ja nicht an die gute Sache. Es war mir gleichgültig, ob Fipps später aufs Gymnasium kommen würde oder nicht, ob aus ihm etwas Rechtes würde oder nicht. Ein Arbeiter möchte seinen Sohn als Arzt sehen, ein Arzt den seinen zumindest als Arzt. Ich verstehe das nicht. Ich wollte Fipps weder gescheiter noch besser als uns wissen. Ich wollte auch nicht von ihm geliebt sein; er brauchte mir nicht zu gehorchen, mir nie zu Willen zu sein. Nein, ich wollte ... Er sollte doch nur von vorn beginnen, mir zeigen mit einer einzigen Geste, daß er nicht unsere Gesten nachvollziehen mußte. Ich habe keine an ihm gesehen. Ich war neu geboren, aber er war es nicht! Ich war es

ja, ich war der erste Mensch und habe alles verspielt, hab nichts getan!
Ich wünschte für Fipps nichts, ganz und gar nichts. Ich beobachtete ihn nur weiter. Ich weiß nicht, ob ein Mann sein eigenes Kind so beobachten darf. Wie ein Forscher einen ›Fall‹. Ich betrachtete diesen hoffnungslosen Fall Mensch. Dieses Kind, das ich nicht lieben konnte, wie ich Hanna liebte, die ich doch nie ganz fallen ließ, weil sie mich nicht enttäuschen konnte. Sie war schon von der Art Menschen gewesen wie ich, als ich sie angetroffen hatte, wohlgestalt, erfahren, ein wenig besonders und doch wieder nicht, eine Frau und dann meine Frau. Ich machte diesem Kind und mir den Prozeß – ihm, weil es eine höchste Erwartung zunichte machte, mir, weil ich ihm den Boden nicht bereiten konnte. Ich hatte erwartet, daß dieses Kind, weil es ein Kind war – ja, ich hatte erwartet, daß es die Welt erlöse. Es hört sich an wie eine Ungeheuerlichkeit. Ich habe auch wirklich ungeheuerlich gehandelt an dem Kind, aber das ist keine Ungeheuerlichkeit, was ich erhoffte. Ich war nur nicht vorbereitet gewesen, wie alle vor mir, auf das Kind. Ich hatte mir nichts dabei gedacht, wenn ich Hanna umarmte, wenn ich beruhigt war in dem finsteren Schoß – ich konnte nicht denken. Es war gut, Hanna zu heiraten, nicht nur wegen des Kindes, aber ich war später nie mehr glücklich mit ihr, sondern nur darauf bedacht, daß sie nicht noch ein Kind bekäme. Sie wünschte es sich, ich habe Grund, das anzunehmen, obwohl sie

jetzt nicht mehr davon spricht, nichts dergleichen tut. Man möchte meinen, daß Hanna jetzt erst recht wieder an ein Kind denkt, aber sie ist versteint. Sie geht nicht von mir und kommt nicht zu mir. Sie hadert mit mir, wie man mit einem Menschen nicht hadern darf, da er nicht Herr über solche Unbegreiflichkeiten wie Tod und Leben ist. Sie hätte damals gern eine ganze Brut aufgezogen, und das verhinderte ich. Ihr waren alle Bedingungen recht und mir keine. Sie erklärte mir einmal, als wir uns stritten, was alles sie für Fipps tun und haben wolle. *Alles:* ein lichteres Zimmer, mehr Vitamine, einen Matrosenanzug, mehr Liebe, die ganze Liebe, einen Liebesspeicher wollte sie anlegen, der reichen sollte ein Leben lang, wegen draußen, wegen der Menschen . . . eine gute Schulbildung, Fremdsprachen, auf seine Talente merken. – Sie weinte und kränkte sich, weil ich darüber lachte. Ich glaube, sie dachte keinen Augenblick lang, daß Fipps zu den Menschen ›draußen‹ gehören werde, daß er wie sie verletzen, beleidigen, übervorteilen, töten könne, daß er auch nur einer Niedrigkeit fähig sein werde, und ich hatte allen Grund, das anzunehmen. Denn das Böse, wie wir es nennen, steckte in dem Kind wie eine Eiterquelle. An die Geschichte mit dem Messer brauche ich deswegen noch gar nicht zu denken. Es fing viel früher an, als er etwa drei oder vier Jahre alt war. Ich kam dazu, wie er zornig und plärrend umherging; ein Turm mit Bauklötzen war ihm umgefallen. Plötzlich hielt er inne im Lamentieren und sagte leise und nachdrücklich: »Das Haus anzünden werde ich euch. Alles kaputtmachen. Euch alle kaputtmachen.« Ich hob ihn auf die Knie, streichelte ihn, versprach ihm, den Turm wieder aufzubauen. Er wiederholte seine Drohungen. Hanna, die dazutrat, war zum erstenmal unsicher. Sie wies ihn zurecht und fragte ihn, wer ihm solche Sachen sage. Er antwortete fest: »Niemand.«

Dann stieß er ein kleines Mädchen, das im Haus wohnte, die Stiegen hinunter, war wohl sehr erschrocken danach, weinte, versprach, es nie wieder zu tun, und tat es doch noch einmal. Eine Zeitlang schlug er bei jeder Gelegenheit nach Hanna. Auch das verging wieder.

Ich vergesse freilich, mir vorzuhalten, wieviel hübsche Dinge er sagte, wie zärtlich er sein konnte, wie rotglühend er morgens aufwachte. Ich habe das alles auch bemerkt, war oft versucht, ihn dann schnell zu nehmen, zu küssen, wie Hanna es tat, aber ich wollte mich nicht darüber beruhigen und mich täuschen lassen. Ich war auf der Hut. Denn es war keine Ungeheuerlichkeit, was ich erhoffte. Ich hatte mit meinem Kind nichts Großes vor, aber diese Wenigkeit, diese geringe Abweichung wünschte ich. Wenn ein Kind freilich Fipps heißt . . . Mußte es seinem Namen solche Ehre machen? Kommen und Gehen mit einem Schoßhundnamen. Elf Jahre in Dressurakt auf Dressurakt vertun. (Essen mit der schönen Hand. Gerade gehen. Winken. Nicht sprechen mit vollem Mund.)

Seit er zur Schule ging, war ich bald mehr außer Haus als zu Hause zu finden. Ich war zum Schachspielen im Kaffeehaus oder ich schloß mich, Arbeit vorschützend, in mein Zimmer ein, um zu lesen. Ich lernte Betty kennen, eine Verkäuferin von der Maria Hilferstraße, der ich Strümpfe, Kinokarten oder etwas zum Essen mitbrachte, und gewöhnte sie an mich. Sie war kurz angebunden, anspruchslos, unterwürfig und höchstens eßlustig bei aller Lustlosigkeit, mit der sie ihre freien Abende zubrachte. Ich ging ziemlich oft zu ihr, während eines Jahres, legte mich neben sie auf das Bett in ihrem möblierten Zimmer, wo sie, während ich ein Glas Wein trank, Illustrierte las und dann auf meine Zumutungen ohne Befremden einging. Es war eine Zeit der größten Verwirrung, wegen des Kindes. Ich schlief nie mit Betty, im Gegenteil, ich war auf der Suche nach Selbstbefriedigung, nach der lichtscheuen, verpönten Befreiung von der Frau und dem Geschlecht. Um nicht eingefangen zu werden, um unabhängig zu sein. Ich wollte mich nicht mehr zu Hanna legen, weil ich ihr nachgegeben hätte.
Obwohl ich mich nicht bemühte, mein abendliches Ausbleiben durch so lange Zeit zu bemänteln, war mir, als lebte Hanna ohne Verdacht. Eines Tages entdeckte ich, daß es anders war; sie hatte mich schon einmal mit Betty im Café Elsahof gesehen, wo wir uns oft nach Geschäftsschluß trafen, und gleich zwei Tage darauf wieder, als ich mit Betty um Kinokarten vor dem Kosmoskino in einer Schlange stand. Hanna

verhielt sich sehr ungewöhnlich, blickte über mich hinweg wie über einen Fremden, so daß ich nicht wußte, was zu tun war. Ich nickte ihr gelähmt zu, rückte, Bettys Hand in der meinen fühlend, weiter vor zur Kasse und ging, so unglaublich es mir nachträglich erscheint, wirklich ins Kino. Nach der Vorstellung, während der ich mich vorbereitete auf Vorwürfe und meine Verteidigung erprobte, nahm ich ein Taxi für den kurzen Heimweg, als ob ich damit noch etwas hätte gutmachen oder verhindern können. Da Hanna kein Wort sagte, stürzte ich mich in meinen vorbereiteten Text. Sie schwieg beharrlich, als redete ich zu ihr von Dingen, die sie nichts angingen. Schließlich tat sie doch den Mund auf und sagte schüchtern, ich solle doch an das Kind denken. »Fipps zuliebe . . .«, dieses Wort kam vor! Ich war geschlagen, ihrer Verlegenheit wegen, bat sie um Verzeihung, ging in die Knie, versprach das Nie-wieder, und ich sah Betty wirklich nie wieder. Ich weiß nicht, warum ich ihr trotzdem zwei Briefe schrieb, auf die sie sicher keinen Wert legte. Es kam keine Antwort, und ich wartete auch nicht auf Antwort. Als hätte ich mir selbst oder Hanna diese Briefe zukommen lassen wollen, hatte ich mich darin preisgegeben wie nie zuvor einem Menschen. Manchmal fürchtete ich, von Betty erpreßt zu werden. Wieso erpreßt? Ich schickte ihr Geld. Wieso eigentlich, da Hanna von ihr wußte?
Diese Verwirrung. Diese Öde.
Ich fühlte mich ausgelöscht als Mann, impotent. Ich

wünschte mir, es zu bleiben. Wenn da eine Rechnung war, würde sie aufgehen zu meinen Gunsten. Austreten aus dem Geschlecht, zu Ende kommen, ein Ende, dahin sollte es nur kommen!

Aber alles, was geschah, handelt nicht etwa von mir oder Hanna oder Fipps, sondern von Vater und Sohn, einer Schuld und einem Tod.

In einem Buch las ich einmal den Satz: »Es ist nicht die Art des Himmels, das Haupt zu erheben.« Es wäre gut, wenn alle wüßten von diesem Satz, der von der Unart des Himmels spricht. O nein, es ist wahrhaftig nicht seine Art, herabzublicken, Zeichen zu geben den Verwirrten unter ihm. Wenigstens nicht, wo ein so dunkles Drama stattfindet, in dem auch er, dieses erdachte Oben, mitspielt. Vater und Sohn. Ein Sohn – daß es das gibt, das ist das Unfaßbare. Mir fallen jetzt solche Worte ein, weil es für diese finstere Sache kein klares Wort gibt; sowie man daran denkt, kommt man um den Verstand. Finstere Sache: denn da war mein Samen, undefinierbar und mir selbst nicht geheuer, und dann Hannas Blut, in dem das Kind genährt worden war und das die Geburt begleitete, alles zusammen eine finstere Sache. Und es hatte mit Blut geendet, mit seinem schallend leuchtenden Kinderblut, das aus der Kopfwunde geflossen ist.

Er konnte nichts sagen, als er dort auf dem Felsvorsprung der Schlucht lag, nur zu dem Schüler, der zuerst bei ihm anlangte: »Du.« Er wollte die Hand heben, ihm etwas bedeuten oder sich an ihn klammern-

Die Hand ging aber nicht mehr hoch. Und endlich flüsterte er doch, als sich ein paar Augenblicke später der Lehrer über ihn beugte:
»Ich möchte nach Hause.«
Ich werde mich hüten, dieses Satzes wegen zu glauben, es hätte ihn ausdrücklich nach Hanna und mir verlangt. Man will nämlich nach Hause, wenn man sich sterben fühlt, und er fühlte es. Er war ein Kind, hatte keine großen Botschaften zu bestellen. Fipps war nämlich nur ein ganz gewöhnliches Kind, es konnte ihm nichts in die Quere kommen bei seinen letzten Gedanken. Die anderen Kinder und der Lehrer hatten dann Stöcke gesucht, eine Bahre daraus gemacht, ihn bis ins Oberdorf getragen. Unterwegs, fast gleich nach den ersten Schritten, war er gestorben. Dahingegangen? Verschieden? In der Parte schrieben wir: »... wurde uns unser einziges Kind ... durch einen Unglücksfall entrissen.« In der Druckerei fragte der Mann, der die Bestellung aufnahm, ob wir nicht »unser einziges innigstgeliebtes Kind« schreiben wollten, aber Hanna, die am Apparat war, sagte nein, es verstehe sich, geliebt und innigstgeliebt, es komme auch gar nicht mehr darauf an. Ich war so töricht, sie umarmen zu wollen für diese Auskunft; so sehr lagen meine Gefühle für sie darnieder. Sie schob mich weg. Nimmt sie mich überhaupt noch wahr? Was, um alles in der Welt, wirft sie mir vor?
Hanna, die ihn allein umsorgt hatte seit langem, geht unerkennbar umher, als fiele der Scheinwerfer nicht

mehr auf sie, der sie angeleuchtet hatte, wenn sie mit Fipps und durch Fipps im Mittelpunkt stand. Es läßt sich nichts mehr über sie sagen, als hätte sie weder Eigenschaften noch Merkmale. Früher war sie doch fröhlich und lebhaft gewesen, ängstlich, sanft und streng, immer bereit, das Kind zu lenken, laufen zu lassen und wieder eng an sich zu ziehen. Nach dem Vorfall mit dem Messer zum Beispiel hatte sie ihre schönste Zeit, sie glühte vor Großmut und Einsicht, sie durfte sich zu dem Kind bekennen und zu seinen Fehlern, sie stand für alles ein vor jeder Instanz. Es war in seinem dritten Schuljahr. Fipps war auf einen Mitschüler mit einem Taschenmesser losgegangen. Er wollte es ihm in die Brust rennen; es rutschte ab und traf das Kind in den Arm. Wir wurden in die Schule gerufen, und ich hatte peinvolle Besprechungen mit dem Direktor und Lehrern und den Eltern des verletzten Kindes – peinvoll, weil ich nicht bezweifelte, daß Fipps dazu, und noch zu ganz anderem, imstande war, aber sagen durfte ich, was ich dachte, nicht – peinvoll, weil mich die Gesichtspunkte, die man mir aufzwang, überhaupt nicht interessierten. Was wir mit Fipps tun sollten, war allen unklar. Er schluchzte, bald trotzig, bald verzweifelt, und wenn ein Schluß zulässig ist, so bereute er, was geschehen war. Trotzdem gelang es uns nicht, ihn dazu zu bewegen, zu dem Kind zu gehen und es um Verzeihung zu bitten. Wir zwangen ihn und gingen zu dritt ins Spital. Aber ich glaube, daß Fipps, der nichts gegen das Kind gehabt hatte, als er es bedrohte, von dem Augenblick an begann, es zu hassen, als er seinen Spruch sagen mußte. Es war kein Kinderzorn in ihm, sondern unter großer Beherrschung ein sehr feiner, sehr erwachsener Haß. Ein schwieriges Gefühl, in das er niemand hineinsehen ließ, war ihm gelungen, und er war wie zum Menschen geschlagen.

Immer, wenn ich an den Schulausflug denke, mit dem alles zu Ende ging, fällt mir auch die Messergeschichte ein, als gehörten sie von fern zusammen, wegen des Schocks, der mich wieder an die Existenz meines Kindes erinnerte. Denn diese paar Schuljahre erscheinen mir, abgesehen davon, leer in der Erinnerung, weil ich nicht achtete auf sein Größerwerden, das Hellerwerden des Verstandes und seiner Empfindungen. Er wird wohl gewesen sein wie alle Kinder dieses Alters: wild und zärtlich, laut und verschwiegen – mit allen Besonderheiten für Hanna, allem Einmaligen für Hanna.

Der Direktor der Schule rief bei mir im Büro an. Das war nie vorgekommen, denn selbst, als sich die Geschichte mit dem Messer zugetragen hatte, ließ man in der Wohnung anrufen, und Hanna erst hatte mich verständigt. Ich traf den Mann eine halbe Stunde später in der Halle der Firma. Wir gingen auf die andere Straßenseite ins Kaffeehaus. Er versuchte, was er mir sagen mußte, zuerst in der Halle zu sagen, dann auf der Straße, aber auch im Kaffeehaus fühlte er, daß es nicht der richtige Ort war. Es gibt vielleicht

überhaupt keinen richtigen Ort für die Mitteilung, daß ein Kind tot ist.
Es sei nicht die Schuld des Lehrers, sagte er.
Ich nickte. Es war mir recht.
Die Wegverhältnisse waren gut gewesen, aber Fipps hatte sich losgelöst von der Klasse, aus Übermut oder Neugier, vielleicht weil er sich einen Stock suchen wollte.
Der Direktor begann zu stammeln.
Fipps war auf einem Felsen ausgerutscht und auf den darunterliegenden gestürzt.
Die Kopfwunde sei an sich ungefährlich gewesen, aber der Arzt habe dann die Erklärung für den raschen Tod gefunden, eine Zyste, ich wisse wahrscheinlich...
Ich nickte. Zyste? Ich wußte nicht, was das ist.
Die Schule sei tief betroffen, sagte der Direktor, eine Untersuchungskommission sei beauftragt, die Polizei verständigt . . .
Ich dachte nicht an Fipps, sondern an den Lehrer, der mir leid tat, und ich gab zu verstehen, daß man nichts zu befürchten habe von meiner Seite.
Niemand hatte Schuld. Niemand.
Ich stand auf, ehe wir die Bestellung machen konnten, legte einen Schilling auf den Tisch, und wir trennten uns. Ich ging zurück ins Büro und gleich wieder weg, ins Kaffeehaus, um doch einen Kaffee zu trinken, obwohl ich lieber einen Kognak oder einen Schnaps gehabt hätte. Ich traute mich nicht, einen Kognak zu trinken. Mittag war gekommen, und ich

mußte heim und es Hanna sagen. Ich weiß nicht, wie ich es fertigbrachte und was ich sagte. Während wir von der Wohnungstür weg und durch das Vorzimmer gingen, mußte sie es schon begriffen haben. Es ging so schnell. Ich mußte sie zu Bett bringen, den Arzt rufen. Sie war ohne Verstand, und bis sie bewußtlos wurde, schrie sie. Sie schrie so entsetzlich wie bei seiner Geburt, und ich zitterte wieder um sie, wie damals. Wünschte wieder nur, Hanna möge nichts geschehen. Immer dachte ich: Hanna! Nie an das Kind.
In den folgenden Tagen tat ich alle Wege allein. Auf dem Friedhof – ich hatte Hanna die Stunde der Beerdigung verschwiegen – hielt der Direktor eine Rede. Es war ein schöner Tag, ein leichter Wind ging, die Kranzschleifen hoben sich wie für ein Fest. Der Direktor sprach immerzu. Zum erstenmal sah ich die ganze Klasse, die Kinder, mit denen Fipps fast jede Tageshälfte verbracht hatte, einen Haufen stumpf vor sich hinblickender kleiner Kerle, und darunter wußte ich einen, den Fipps hatte erstechen wollen. Es gibt eine Kälte innen, die macht, daß das Nächste und Fernste uns gleich entrückt sind. Das Grab entrückte mit den Umstehenden und den Kränzen. Den ganzen Zentralfriedhof sah ich weit draußen am Horizont nach Osten abtreiben, und noch als man mir die Hand drückte, spürte ich nur Druck auf Druck und sah die Gesichter dort draußen, genau und wie aus der Nähe gesehen, aber sehr fern, erheblich fern.
Lern du die Schattensprache! Lern du selber.

Aber jetzt, seit alles vorbei ist und Hanna auch nicht mehr stundenlang in seinem Zimmer sitzt, sondern mir erlaubt hat, die Tür abzuschließen, durch die er so oft gelaufen ist, rede ich manchmal mit ihm in der Sprache, die ich nicht für gut halten kann.
Mein Wildling. Mein Herz.
Ich bin bereit, ihn auf dem Rücken zu tragen, und verspreche ihm einen blauen Ballon, eine Bootsfahrt auf der alten Donau und Briefmarken. Ich blase auf seine Knie, wenn er sich angeschlagen hat, und helfe ihm bei einer Schlußrechnung.
Wenn ich ihn damit auch nicht lebendig machen kann, so ist es doch nicht zu spät zu denken: Ich habe ihn angenommen, diesen Sohn. Ich konnte zu ihm nicht freundlich sein, weil ich zu weit ging mit ihm.
Geh nicht zu weit. Lern erst das Weitergehen. Lern du selbst.
Aber man müßte zuerst den Trauerbogen zerreißen können, der von einem Mann zu einer Frau reicht. Diese Entfernung, meßbar mit Schweigen, wie soll sie je abnehmen? Denn in alle Zeit wird, wo für mich ein Minenfeld ist, für Hanna ein Garten sein.
Ich denke nicht mehr, sondern möchte aufstehen, über den dunklen Gang hinübergehen und, ohne ein Wort sagen zu müssen, Hanna erreichen. Ich sehe nichts daraufhin an, weder meine Hände, die sie halten sollen, noch meinen Mund, in den ich den ihren schließen kann. Es ist unwichtig, mit welchem Laut vor jedem Wort ich zu ihr komme, mit welcher Wärme

vor jeder Sympathie. Nicht um sie wiederzuhaben, ginge ich, sondern um sie in der Welt zu halten und damit sie mich in der Welt hält. Durch Vereinigung, mild und finster. Wenn es Kinder gibt nach dieser Umarmung, gut, sie sollen kommen, da sein, heranwachsen, werden wie alle andern. Ich werde sie verschlingen wie Kronos, schlagen wie ein großer fürchterlicher Vater, sie verwöhnen, diese heiligen Tiere, und mich betrügen lassen wie ein Lear. Ich werde sie erziehen, wie die Zeit es erfordert, halb für die wölfische Praxis und halb auf die Idee der Sittlichkeit hin – und ich werde ihnen nichts auf den Weg mitgeben. Wie ein Mann meiner Zeit: keinen Besitz, keine guten Ratschläge.

Aber ich weiß nicht, ob Hanna noch wach ist.

Ich denke nicht mehr. Das Fleisch ist stark und finster, das unter dem großen Nachtgelächter ein wahres Gefühl begräbt.

Ich weiß nicht, ob Hanna noch wach ist.

UNTER MÖRDERN UND IRREN

Die Männer sind unterwegs zu sich, wenn sie abends beieinander sind, trinken und reden und meinen. Wenn sie zwecklos reden, sind sie auf ihrer eigenen Spur, wenn sie meinen und ihre Meinungen mit dem Rauch aus Pfeifen, Zigaretten und Zigarren aufsteigen und wenn die Welt Rauch und Wahn wird in den Wirtshäusern auf den Dörfern, in den Extrastuben, in den Hinterzimmern der großen Restaurants und in den Weinkellern der großen Städte.

Wir sind in Wien, mehr als zehn Jahre nach dem Krieg. »Nach dem Krieg« – dies ist die Zeitrechnung.

Wir sind abends in Wien und schwärmen aus in die Kaffeehäuser und Restaurants. Wir kommen geradewegs aus den Redaktionen und den Bürohäusern, aus der Praxis und aus den Ateliers und treffen uns, heften uns auf die Fährte, jagen das Beste, was wir verloren haben, wie ein Wild, verlegen und unter Gelächter. In den Pausen, wenn keinem ein Witz einfällt oder eine Geschichte, die unbedingt erzählt werden muß, wenn keiner gegen das Schweigen aufkommt und jeder in sich versinkt, hört hin und wieder einer das blaue Wild klagen – noch einmal, noch immer.

An dem Abend kam ich mit Mahler in den ›Kronenkeller‹ in der Inneren Stadt zu unserer Herrenrunde. Überall waren jetzt, wo es Abend in der Welt war, die Schenken voll, und die Männer redeten und meinten und erzählten wie die Irrfahrer und Dulder, wie die Titanen und Halbgötter von der Geschichte und den Geschichten; sie ritten herauf in das Nachtland, ließen sich nieder am Feuer, dem gemeinsamen offenen Feuer, das sie schürten in der Nacht und der Wüste, in der sie waren. Vergessen hatten sie die Berufe und die Familien. Keiner mochte daran denken, daß die Frauen jetzt zu Hause die Betten aufschlugen und sich zur Ruhe begaben, weil sie mit der Nacht nichts anzufangen wußten. Barfuß oder in Pantoffeln, mit aufgebundenen Haaren und müden Gesichtern gingen die Frauen zu Hause herum, drehten den Gashahn ab und sahen furchtvoll unter das Bett und in die Kasten, besänftigten mit zerstreuten Worten die Kinder oder setzten sich verdrossen ans Radio, um sich dann doch hinzulegen mit Rachegedanken in der einsamen Wohnung. Mit den Gefühlen des Opfers lagen die Frauen da, mit aufgerissenen Augen in der Dunkelheit, voll Verzweiflung und Bosheit. Sie machten ihre Rechnungen mit der Ehe, den Jahren und dem Wirtschaftsgeld, manipulierten, verfälschten und unterschlugen. Schließlich schlossen sie die Augen, hängten sich an einen Wachtraum, überließen sich betrügerischen wilden Gedanken, bis sie einschliefen mit einem letzten großen Vorwurf. Und im ersten

Traum ermordeten sie ihre Männer, ließen sie sterben an Autounfällen, Herzanfällen und Pneumonien; sie ließen sie rasch oder langsam und elend sterben, je nach der Größe des Vorwurfs, und unter den geschlossenen zarten Lidern traten ihnen die Tränen hervor vor Schmerz und Jammer über den Tod ihrer Männer. Sie weinten um ihre ausgefahrenen, ausgerittenen, nie nach Hause kommenden Männer und beweinten endlich sich selber. Sie waren angekommen bei ihren wahrhaftigsten Tränen.
Wir aber waren fern, die Corona, der Sängerbund, die Schulfreunde, die Bündler, Gruppen, Verbände, das Symposion und die Herrenrunde. Wir bestellten unseren Wein, legten die Tabakbeutel vor uns auf die Tische und waren unzugänglich ihrer Rache und ihren Tränen. Wir starben nicht, sondern lebten auf, redeten und meinten. Viel später erst, gegen Morgen, würden wir den Frauen über die feuchten Gesichter streichen im Dunkeln und sie noch einmal beleidigen mit unserem Atem, dem sauren starken Weindunst und Bierdunst, oder hoffen, inständig, daß sie schon schliefen und kein Wort mehr fallen müsse in der Schlafzimmergruft, unserem Gefängnis, in das wir doch jedesmal erschöpft und friedfertig zurückkehrten, als hätten wir ein Ehrenwort gegeben.
Wir waren weit fort. Wir waren an dem Abend wie an jedem Freitag beisammen: Haderer, Bertoni, Hutter, Ranitzky, Friedl, Mahler und ich. Nein, Herz fehlte, er war diese Woche in London, um seine end-

gültige Rückkehr nach Wien vorzubereiten. Es fehlte auch Steckel, der wieder krank war. Mahler sagte: »Wir sind heute nur drei Juden«, und er fixierte Friedl und mich.

Friedl starrte ihn verständnislos mit seinen kugeligen wäßrigen Augen an und preßte seine Hände ineinander, wohl weil er dachte, daß er doch gar kein Jude sei, und Mahler war es auch nicht, sein Vater vielleicht, sein Großvater – Friedl wußte es nicht genau. Aber Mahler setzte sein hochmütiges Gesicht auf. Ihr werdet sehen, sagte sein Gesicht. Und es sagte: Ich täusche mich nie.

Es war schwarzer Freitag. Haderer führte das große Wort. Das hieß, daß der Irrfahrer und Dulder in ihm schwieg und der Titan zu Wort kam, daß er sich nicht mehr klein machen und der Schläge rühmen mußte, die er hatte hinnehmen müssen, sondern derer sich rühmen konnte, die er ausgeteilt hatte. An diesem Freitag wendete sich das Gespräch, vielleicht weil Herz und Steckel fehlten und weil Friedl, Mahler und ich keinem als Hemmnis erschienen; vielleicht aber auch nur, weil das Gespräch einmal wahr werden mußte, weil Rauch und Wahn alles einmal zu Wort kommen lassen.

Jetzt war die Nacht ein Schlachtfeld, ein Frontzug, eine Etappe, ein Alarmzustand, und man tummelte sich in dieser Nacht. Haderer und Hutter tauchten ein in die Erinnerung an den Krieg, sie wühlten in der Erinnerung, in manchem Dunkel, das keiner ganz

preisgab, bis es dahin kam, daß ihre Gestalten sich verwandelten und wieder Uniformen trugen, bis sie dort waren, wo sie beide wieder befehligten, beide als Offiziere, und Verbindung aufnahmen zum Stab; wo sie mit einer ›Ju 52‹ hinübergeflogen wurden nach Woronesch, aber dann konnten sie sich plötzlich nicht einigen über das, was sie von General Manstein zu halten gehabt hatten im Winter 1942, und sie wurden sich einfach nicht einig, ob die 6. Armee entsetzt hätte werden können oder nicht, ob schon die Aufmarschplanung schuld gewesen war oder nicht; dann landeten sie nachträglich auf Kreta, aber in Paris hatte eine kleine Französin zu Hutter gesagt, die Österreicher seien ihr lieber als die Deutschen, und als in Norwegen der Tag heraufkam und als die Partisanen sie umzingelt hatten in Serbien, waren sie so weit – sie bestellten den zweiten Liter Wein, und auch wir bestellten noch einen, denn Mahler hatte begonnen, uns über ein paar Intrigen aus der Ärztekammer zu berichten.
Wir tranken den burgenländischen Wein und den Gumpoldskirchner Wein. Wir tranken in Wien, und die Nacht war noch lange nicht zu Ende für uns.
An diesem Abend, als die Partisanen schon Haderers Achtung errungen hatten und nur nebenbei von ihm scharf verurteilt worden waren (denn ganz deutlich wurde es nie, wie Haderer eigentlich darüber und über noch anderes dachte, und Mahlers Gesicht sagte mir noch einmal: Ich täusche mich nie!), als die toten

slowenischen Nonnen nackt im Gehölz vor Veldes lagen und Haderer, von Mahlers Schweigen verwirrt, die Nonnen liegen lassen mußte und innehielt in seiner Erzählung, trat ein alter Mann an unseren Tisch, den wir seit langem kannten. Es war dies ein herumziehender, schmutziger, zwergenhafter Mensch mit einem Zeichenblock, der sich aufdrängte, für ein paar Schilling die Gäste zu zeichnen. Wir wollten nicht gestört und schon gar nicht gezeichnet werden, aber der entstandenen Verlegenheit wegen forderte Haderer den Alten unvermutet und großzügig auf, uns zu zeichnen, uns einmal zu zeigen, was er könne. Wir nahmen jeder ein paar Schilling aus der Börse, taten sie zusammen auf einen Haufen und schoben ihm das Geld hin. Er beachtete das Geld aber nicht. Er stand da, beglückt den Block auf den linken abgewinkelten Unterarm gestützt, mit zurückgeworfenem Kopf. Sein dicker Bleistift strichelte auf dem Blatt mit solcher Schnelligkeit, daß wir in Gelächter ausbrachen. Wie aus einem Stummfilm wirkten seine Bewegungen, grotesk, zu rasch genommen. Da ich ihm zunächst saß, reichte er mir mit einer Verbeugung das erste Blatt.

Er hatte Haderer gezeichnet:

Mit Schmissen in dem kleinen Gesicht. Mit der zu straff an den Schädel anliegenden Haut. Grimassierend, ständig schauspielernd den Ausdruck. Peinlich gescheitelt das Haar. Einen Blick, der stechend, bannend sein wollte und es nicht ganz war.

Haderer war Abteilungsleiter am Radio und schrieb überlange Dramen, die alle großen Theater regelmäßig und mit Defizit aufführten und die den uneingeschränkten Beifall der ganzen Kritik fanden. Wir alle hatten sie, Band für Band, mit handschriftlicher Widmung zu Hause stehen. »Meinem verehrten Freund . . .« Wir waren alle seine verehrten Freunde – Friedl und ich ausgenommen, weil wir zu jung waren und daher nur »liebe Freunde« sein konnten oder »liebe, junge, begabte Freunde«. Er nahm von Friedl und mir nie ein Manuskript zur Sendung an, aber er empfahl uns an andere Stellen und Redaktionen, fühlte sich als unser Förderer und der von noch etwa zwanzig jungen Leuten, ohne daß es je ersichtlich wurde, worin diese Förderung bestand und welche Resultate die Gunst zeitigte. Es lag freilich nicht an ihm, daß er uns vertrösten und zugleich mit Komplimenten befeuern mußte, sondern an dieser »Bagage«, wie er sich ausdrückte, an dieser »Bande von Tagedieben« überall, den Hofräten und anderen hinderlichen vergreisten Elementen in den Ministerien, den Kulturämtern und im Rundfunk; er bezog dort das höchste mögliche Gehalt und er erhielt in gemessenen Abständen sämtliche Ehrungen, Preise und sogar Medaillen, die Land und Stadt zu vergeben hatten; er hielt die Reden zu den großen Anlässen, wurde als ein Mann betrachtet, der zur Repräsentation geeignet war, und galt trotzdem als einer der freimütigsten und unabhängigsten Männer. Er schimpfte auf alles, das heißt, er schimpfte immer auf die andere Seite, so daß die eine Seite erfreut war und ein andermal die andere, weil nun die eine die andere war. Er nannte, um es genauer zu sagen, einfach die Dinge beim Namen, zum Glück aber selten die Leute, so daß sich nie jemand im besonderen betroffen fühlte.

Von dem Bettelzeichner so hingestrichelt auf das Papier, sah er aus wie ein maliziöser Tod oder wie eine jener Masken, wie Schauspieler sie sich noch manchmal für den Mephisto oder den Jago zurechtmachen.

Ich reichte das Blatt zögernd weiter. Als es bei Haderer anlangte, beobachtete ich ihn genau und mußte mir eingestehen, daß ich überrascht war. Er schien nicht einen Augenblick betroffen oder beleidigt, zeigte sich überlegen, er klatschte in die Hände, vielleicht dreimal zu oft – aber er klatschte, lobte immer zu oft – und rief mehrmals »Bravo«. Mit diesem »Bravo« drückte er auch aus, daß er allein hier der große Mann war, der Belobigungen zu vergeben hatte, und der Alte neigte auch ehrerbietig den Kopf, sah aber kaum auf, weil er es eilig hatte, mit Bertonis Kopf zu Ende zu kommen.

Bertoni aber war so gezeichnet:

Mit dem schönen Sportlergesicht, auf dem man Sonnenbräune vermuten durfte. Mit den frömmelnden Augen, die den Eindruck von gesundem Strahlen zunichte machten. Mit der gekrümmten Hand vor dem Mund, als fürchtete er, etwas zu laut zu sagen, als könnte ein unbedachtes Wort ihm entschlüpfen.

Bertoni war am ›Tagblatt‹. Seit Jahren schon war er beschämt über den ständigen Niedergang des Niveaus in seinem Feuilleton, und jetzt lächelte er nur mehr melancholisch, wenn ihn jemand aufmerksam machte auf eine Entgleisung, auf Unrichtigkeiten, den Mangel an guten Beiträgen oder richtiger Information. Was wollen Sie – in diesen Zeiten! schien sein Lächeln zu sagen. Er allein konnte den Niedergang nicht aufhalten, obwohl er wußte, wie eine gute Zeitung aussehen sollte, o ja, er wußte es, hatte es früh gewußt, und darum redete er am liebsten von den alten Zeitungen, von den großen Zeiten der Wiener Presse und wie er unter deren legendären Königen damals gearbeitet und von ihnen gelernt hatte. Er wußte alle Geschichten, alle Affairen von vor zwanzig Jahren, er war nur in jener Zeit zu Hause und konnte diese Zeit lebendig machen, von ihr ohne Unterlaß erzählen. Gern sprach er auch von der düsteren Zeit danach, wie er und ein paar andere Journalisten sich durchgebracht hatten in den ersten Jahren nach 1938, was sie heimlich gedacht und geredet und angedeutet hatten, in welchen Gefahren sie geschwebt hatten, ehe sie auch die Uniform angezogen hatten, und nun saß er noch immer da mit seiner Tarnkappe, lächelte, konnte vieles nicht verschmerzen. Er setzte seine Sätze vorsichtig. Was er dachte, wußte niemand, das Andeuten war ihm zur Natur geworden, er tat, als hörte immer die Geheime Staatspolizei mit. Eine ewige Polizei war aus ihr hervorgegangen, unter der Bertoni sich duk-

ken mußte. Auch Steckel konnte ihm kein Gefühl der Sicherheit zurückgeben. Er hatte Steckel, bevor Steckel emigrieren mußte, gut gekannt, war wieder Steckels bester Freund, nicht nur weil der bald nach 1945 für ihn gebürgt und ihn ans ›Tagblatt‹ zurückgeholt hatte, sondern weil sie sich in manchem miteinander besser verständigen konnten als mit den anderen, besonders wenn von »damals« die Rede war. Es wurde dann eine Sprache benutzt, die Bertoni zu irgendeiner frühen Zeit einmal kopiert haben mußte, und nun hatte er keine andere mehr und war froh, sie wieder mit jemand sprechen zu können – eine leichte, flüchtige, witzige Sprache, die zu seinem Aussehen und seinem Gehaben nicht recht paßte, eine Sprache der Andeutung, die ihm jetzt doppelt lag. Er deutete nicht, wie Steckel, etwas an, um einen Sachverhalt klarzumachen, sondern deutete, über die Sache hinweg, verzweifelt ins Ungefähre.
Der Zeichner hatte das Blatt wieder vor mich hingelegt. Mahler beugte sich herüber, sah kurz darauf und lachte hochmütig. Ich gab es lächelnd weiter. Bertoni sagte nicht »Bravo«, weil Haderer ihm zuvorkam und ihm die Möglichkeit nahm, sich zu äußern. Er sah seine Zeichnung nur wehmütig und nachdenklich an. Mahler sagte, nachdem Haderer sich beruhigt hatte, über den Tisch zu Bertoni: »Sie sind ein schöner Mensch. Haben Sie das gewußt?«
Und so sah der Alte Ranitzky:
Mit einem eilfertigen Gesicht, dem Schöntuergesicht,

das schon nicken wollte, ehe jemand Zustimmung erwartete. Selbst seine Ohren und seine Augenlider nickten auf der Zeichnung.

Ranitzky, dessen konnte man sicher sein, hatte immer zugestimmt. Alle schwiegen, wenn Ranitzky mit einem Wort die Vergangenheit berührte, denn es hatte keinen Sinn, Ranitzky gegenüber offen zu sein. Man vergaß das besser und vergaß ihn besser; wenn er am Tisch saß, duldete man ihn schweigend. Manchmal nickte er vor sich hin, von allen vergessen. Er war allerdings zwei Jahre lang ohne Bezüge gewesen nach 1945 und vielleicht sogar in Haft gewesen, aber jetzt war er wieder Professor an der Universität. Er hatte in seiner ›Geschichte Österreichs‹ alle Seiten umgeschrieben, die die neuere Geschichte betrafen und sie neu herausgegeben. Als ich Mahler einmal über Ranitzky hatte ausfragen wollen, hatte Mahler kurz zu mir gesagt: »Jeder weiß, daß er es aus Opportunismus getan hat und unbelehrbar ist, aber er weiß es auch selber. Darum sagt es ihm keiner. Aber man müßte es ihm trotzdem sagen.« Mahler jedenfalls sagte es ihm mit seiner Miene jedesmal oder wenn er ihm antwortete oder bloß einmal sagte: »Hören Sie . . .« und damit erreichte, daß Ranitzkys Augenlider zu flattern anfingen. Ja, er brachte ihn zum Zittern, jedesmal bei der Begrüßung, bei einem flachen, flüchtigen Händedruck. Dann war Mahler am grausamsten, wenn er nichts sagte oder die Krawatte nur etwas zurechtrückte, jemand ansah und zu verstehen gab, daß er sich an alles gleichzeitig erinnerte. Er hatte das Gedächtnis eines gnadlosen Engels, zu jeder Zeit erinnerte er sich; er hatte einfach ein Gedächtnis, keinen Haß, aber eben dies unmenschliche Vermögen, alles aufzubewahren und einen wissen zu lassen, daß er wußte.

Hutter endlich war so gezeichnet:

Wie Barabbas, wenn es Barabbas selbstverständlich erschienen wäre, daß man ihn freigab. Mit der kindlichen Sicherheit und Sieghaftigkeit in dem runden pfiffigen Gesicht.

Hutter war ein Freigegebener ohne Scham, ohne Skrupel. Alle mochten ihn, auch ich, vielleicht sogar Mahler. Gebt diesen frei, sagten auch wir. So weit waren wir mit der Zeit gekommen, daß wir ständig sagten: gebt diesen frei! Hutter gelang alles, es gelang ihm sogar, daß man ihm das Gelingen nicht übel nahm. Er war ein Geldgeber und finanzierte alles mögliche, eine Filmgesellschaft, Zeitungen, Illustrierte und neuerdings ein Komitee, für das Haderer ihn gewonnen hatte und das sich ›Kultur und Freiheit‹ nannte. Er saß jeden Abend mit anderen Leuten an einem anderen Tisch in der Stadt, mit den Theaterdirektoren und den Schauspielern, mit Geschäftsleuten und Ministerialräten. Er verlegte Bücher, aber er las nie ein Buch, wie er sich auch keinen der Filme ansah, die er finanzierte; er ging auch nicht ins Theater, aber er kam nachher an die Theatertische. Denn er liebte die Welt aufrichtig, in der über all das gesprochen wurde und in der etwas vorbereitet wurde. Er liebte die Welt der Vorbereitungen, der Meinungen über alles, der Kalkulation, der Intrigen, der Risiken, des Kartenmischens. Er sah den anderen gerne zu, wenn sie mischten und nahm Anteil, wenn ihre Karten sich verschlechterten, griff ein, oder sah zu, wie die Trümpfe ausgespielt wurden und griff wieder ein. Er genoß alles, und er genoß seine Freunde, die alten und die neuen, die schwachen und die starken. Er lachte, wo Ranitzky lächelte (Ranitzky lächelte sich durch und lächelte meistens nur, wenn jemand ermordet wurde von der Runde, ein Abwesender, mit dem er morgen zusammentreffen mußte, aber er lächelte so fein und zwiespältig, daß er sich sagen konnte, er habe nicht beigestimmt, sondern nur schützend gelächelt, geschwiegen und sich das Seine gedacht). Hutter lachte laut, wenn jemand ermordet wurde und er war sogar imstande, ohne sich dabei etwas zu denken, davon weiterzuberichten. Oder er wurde wütend und verteidigte einen Abwesenden, ließ ihn nicht morden, trieb die anderen zurück, rettete den Gefährdeten und beteiligte sich dann sogleich hemdsärmelig am nächsten Mord, wenn er Lust darauf bekam. Er war spontan, konnte sich wirklich erregen, und alles Überlegen, Abwägen, lag ihm fern.

Haderers Begeisterung über den Zeichner ließ jetzt nach, er wollte in das Gespräch zurück, und als Mahler es sich verbat, daß man ihn zeichnete, war er ihm dankbar und winkte dem alten Mann ab, der darauf sein Geld einstrich und sich ein letztes Mal vor dem großen Mann, den er erkannt haben mußte, verbeugte.

Ich hoffte zuversichtlich, daß das Gespräch auf die nächsten Wahlen kommen würde oder auf den unbesetzten Theaterdirektorposten, der uns schon drei Freitage Stoff gegeben hatte. Aber an diesem Freitag war alles anders, die anderen ließen nicht ab von dem Krieg, in den sie hineingeraten waren, keiner kam aus dem Sog heraus, sie gurgelten in dem Sumpf, wurden immer lauter und machten es uns unmöglich, an unserem Tischende zu einem anderen Gespräch zu kommen. Wir waren gezwungen, zuzuhören und vor uns hinzustarren, das Brot zu zerkleinern auf dem Tisch, und hier und da wechselte ich einen Blick mit Mahler, der den Rauch seiner Zigarette ganz langsam aus dem Mund schob, Kringel blies und sich diesem Rauchspiel ganz hinzugeben schien. Er hielt den Kopf leicht zurückgeneigt und lockerte sich die Krawatte.

»Durch den Krieg, durch diese Erfahrung, ist man dem Feind näher gerückt«, hörte ich jetzt Haderer sagen.

»Wem?« Friedl versuchte sich stotternd einzumischen.

»Den Bolivianern?« Haderer stutzte, er wußte nicht, was Friedl meinte, und ich versuchte, mich zu erinnern, ob die damals auch mit Bolivien im Kriegszustand gewesen waren. Mahler lachte ein lautloses Gelächter, es sah aus, als wollte er den fortgeblasenen Rauchring wieder in den Mund zurückholen dabei.

Bertoni erläuterte rasch: »Den Engländern, Amerikanern, Franzosen.«
Haderer hatte sich gefaßt und fiel ihm lebhaft ins Wort: »Aber das waren doch für mich nie Feinde, ich bitte Sie! Ich spreche einfach von den Erfahrungen. Von nichts anderem wollte ich reden. Wir können doch anders mitreden, mitsprechen, auch schreiben, weil wir sie haben. Denken Sie bloß an die Neutralen, denen diese bitteren Erfahrungen fehlen, und zwar schon lange.« Er legte die Hand auf die Augen. »Ich möchte nichts missen, diese Jahre nicht, diese Erfahrungen nicht.«
Friedl sagte wie ein verstockter Schulbub, aber viel zu leise: »Ich schon. Ich könnte sie missen.«
Haderer sah ihn undeutlich an; er zeigte nicht, daß er zornig war, sondern wollte womöglich zu einer allem und jedem gerecht werdenden Predigt ausholen. In dem Moment stemmte aber Hutter seine Ellbogen auf den Tisch und fragte derart laut, daß er Haderer ganz aus dem Konzept brachte: »Ja, wie ist das eigentlich? Könnte man nicht sagen, daß Kultur nur durch Krieg, Kampf, Spannung möglich ist . . . Erfahrungen – ich meine Kultur, also wie ist das?«
Haderer legte eine kurze Pause ein, verwarnte erst Hutter, tadelte darauf Friedl und sprach dann überraschend vom ersten Weltkrieg, um dem zweiten auszuweichen. Es war von der Isonzoschlacht die Rede, Haderer und Ranitzky tauschten Regimentserlebnisse aus und wetterten gegen die Italiener, dann wieder

nicht gegen die feindlichen Italiener, sondern gegen die Verbündeten im letzten Krieg, sie sprachen von »in den Rücken fallen«, von »unverläßlicher Führung«, kehrten aber lieber wieder an den Isonzo zurück und lagen zuletzt im Sperrfeuer auf dem Kleinen Pal. Bertoni benutzte den Augenblick, in dem Haderer durstig sein Glas an den Mund setzte, und fing unerbittlich an, eine unglaubliche und verwickelte Geschichte aus dem zweiten Weltkrieg zu erzählen. Es handelte sich darum, daß er und ein deutscher Philologe in Frankreich den Auftrag bekommen hatten, sich um die Organisation eines Bordells zu kümmern; der Mißgeschicke dabei mußte kein Ende gewesen sein, und Bertoni verlor sich in den ergötzlichsten Ausführungen. Sogar Friedl schüttelte sich plötzlich vor Lachen, es wunderte mich und wunderte mich noch mehr, als er plötzlich sich bemühte, auch eingeweiht zu erscheinen in die Operationen, Chargen, Daten. Denn Friedl war gleichaltrig mit mir und war höchstens, wie ich, im letzten Kriegsjahr zum Militär gekommen, von der Schulbank weg. Aber dann sah ich, daß Friedl betrunken war, und ich wußte, daß er schwierig wurde, wenn er betrunken war, daß er nur zum Hohn mitsprach und sich aus Verzweiflung einmischte, und nun hörte ich auch den Hohn heraus aus seinen Worten. Aber einen Augenblick lang hatte ich auch ihm mißtraut, weil er einkehrte bei den anderen, sich hineinbegab in diese Welt aus Eulenspiegeleien, Mutproben, Heroismus, Gehorsam und Ungehorsam, jene Männerwelt, in der alles weit war, was sonst galt, was für uns tagsüber galt, und in der keiner mehr wußte, wessen er sich rühmte und wessen er sich schämte und ob diesem Ruhm und dieser Scham noch etwas entsprach in dieser Welt, in der wir Bürger waren. Und ich dachte an Bertonis Geschichte von dem Schweinediebstahl in Rußland, wußte aber, daß Bertoni nicht fähig war, auch nur einen Bleistift in der Redaktion einzustecken, so korrekt war er. Oder Haderer zum Beispiel hatte im ersten Krieg die höchsten Auszeichnungen erhalten, und man erzählt sich noch, daß er damals von Hötzendorf mit einer Mission betraut worden war, die große Kühnheit erfordert hatte. Aber Haderer war, wenn man ihn hier besah, ein Mensch, der überhaupt keiner Kühnheit fähig war, nie gewesen sein konnte, jedenfalls nicht in dieser Welt. Vielleicht war er es in der anderen gewesen, unter einem anderen Gesetz. Und Mahler, der kaltblütig ist und der furchtloseste Mensch, den ich kenne, hat mir erzählt, daß er damals, 1914 oder 1915, als junger Mensch bei der Sanität, ohnmächtig geworden sei und Morphium genommen habe, um die Arbeit im Lazarett aushalten zu können. Er hatte dann noch zwei Selbstmordversuche gemacht und war bis zum Ende des Krieges in einer Nervenheilanstalt gewesen. Alle operierten sie also in zwei Welten und waren verschieden in beiden Welten, getrennte und nie vereinte Ich, die sich nicht begegnen durften. Alle waren betrunken jetzt und schwadronierten und mußten

durch das Fegefeuer, in dem ihre unerlösten Ich schrien, die bald ersetzt werden wollten durch ihre zivilen Ich, die liebenden, sozialen Ich mit Frauen und Berufen, Rivalitäten und Nöten aller Art. Und sie jagten das blaue Wild, das früh aus ihrem einen Ich gefahren war und nicht mehr zurückkehrte, und solang es nicht zurückkehrte, blieb die Welt ein Wahn.
Friedl stieß mich an, er wollte aufstehen, und ich erschrak, als ich sein glänzendes, geschwollenes Gesicht sah. Ich ging mit ihm hinaus. Wir suchten zweimal in der falschen Richtung den Waschraum. Im Gang bahnten wir uns einen Weg durch eine Gruppe von Männern, die in den großen Kellersaal hineindrängten. Ich hatte noch nie solch einen Andrang im ›Kronenkeller‹ erlebt und auch diese Gesichter hier noch nie gesehen. Es war so auffällig, daß ich einen der Kellner fragte, was denn los sei heute abend. Genaueres wußte er nicht, meinte aber, es handle sich um ein »Kameradschaftstreffen«, man gebe sonst die Räume für solche Versammlungen nicht her, aber der Oberst von Winkler, ich wisse wohl, der berühmte, werde auch kommen und mit den Leuten feiern, es sei ein Treffen zur Erinnerung an Narvik, glaube er.
Im Waschraum war es totenstill. Friedl lehnte sich an das Waschbecken, griff nach der Handtuchrolle und ließ sie eine Umdrehung machen.
»Verstehst du«, fragte er, »warum wir beisammen sitzen?«
Ich schwieg und zuckte mit den Achseln.

»Du verstehst doch, was ich meine«, sagte Friedl eindringlich.
»Ja, ja«, sagte ich.
Aber Friedl sprach weiter: »Verstehst du, warum sogar Herz und Ranitzky beisammen sitzen, warum Herz ihn nicht haßt, wie er Langer haßt, der vielleicht weniger schuldig ist und heute ein toter Mann ist. Ranitzky ist kein toter Mann. Warum sitzen wir, Herr im Himmel, beisammen! Besonders Herz verstehe ich nicht. Sie haben seine Frau umgebracht, seine Mutter . . .«
Ich dachte krampfhaft nach und dann sagte ich: »Ich verstehe es. Doch, ja, ich verstehe es.«
Friedl fragte: »Weil er vergessen hat? Oder weil er, seit irgendeinem Tag, will, daß es begraben sei?«
»Nein«, sagte ich, »das ist es nicht. Es hat nichts mit Vergessen zu tun. Auch nichts mit Verzeihen. Mit all dem hat es nichts zu tun.«
Friedl sagte: »Aber Herz hat doch Ranitzky wieder aufgeholfen, und seit mindestens drei Jahren sitzen sie jetzt beisammen, und er sitzt mit Hutter und Haderer beisammen. Er weiß alles über die alle.«
Ich sagte: »Wir wissen es auch. Und was tun wir?«
Friedl sagte eifriger, als wäre ihm etwas eingefallen: »Aber ob Ranitzky Herz haßt dafür, daß er ihm geholfen hat? Was meinst du? Wahrscheinlich haßt er ihn auch noch dafür.«
Ich sagte: »Nein, das glaube ich nicht. Er meint, es sei recht so, und fürchtet höchstens, daß noch etwas im

Hinterhalt liegt, noch etwas nachkommt. Er ist unsicher. Andre fragen nicht lang, wie Hutter, und finden es natürlich, daß die Zeit vergeht und die Zeiten sich eben ändern.
Damals, nach 45, habe ich auch gedacht, die Welt sei geschieden, und für immer, in Gute und Böse, aber die Welt scheidet sich jetzt schon wieder und wieder anders. Es war kaum zu begreifen, es ging ja so unmerklich vor sich, jetzt sind wir wieder vermischt, damit es sich anders scheiden kann, wieder die Geister und die Taten von anderen Geistern, anderen Taten. Verstehst du? Es ist schon so weit, auch wenn wir es nicht einsehen wollen. Aber das ist auch noch nicht der ganze Grund für diese jämmerliche Einträchtigkeit.«
Friedl rief aus: »Aber was dann! Woran liegt es denn bloß? So sag doch etwas! Liegt's vielleicht daran, daß wir alle sowieso gleich sind und darum zusammen sind?«
»Nein«, sagte ich, »wir sind nicht gleich. Mahler war nie wie die anderen und wir werden es hoffentlich auch nie sein.«
Friedl stierte vor sich hin: »Also Mahler und du und ich, wir sind aber doch auch sehr verschieden voneinander, wir wollen und denken doch jeder etwas anderes. Nicht einmal die anderen sind sich gleich, Haderer und Ranitzky sind so sehr verschieden, Ranitzky, der möchte sein Reich noch einmal kommen sehen, aber Haderer bestimmt nicht, er hat auf die Demokratie

gesetzt und wird diesmal dabei bleiben, das fühle ich. Ranitzky ist hassenswert, und Haderer ist es auch, bleibt es für mich trotz allem, aber gleich sind sie nicht, und es ist ein Unterschied, ob man nur mit dem einen von beiden oder mit beiden an einem Tisch sitzt. Und Bertoni . . . !«

Als Friedl den Namen schrie, kam Bertoni herein und wurde rot unter der Bräune. Er verschwand hinter einer Tür, und wir schwiegen eine Weile. Ich wusch mir die Hände und das Gesicht.

Friedl flüsterte: »Dann ist eben alles doch mit allem im Bund, und ich bin es auch, aber ich will nicht! Und du bist auch im Bund!«

Ich sagte: »Im Bund sind wir nicht, es gibt keinen Bund. Es ist viel schlimmer. Ich denke, daß wir alle miteinander leben müssen und nicht miteinander leben können. In jedem Kopf ist eine Welt und ein Anspruch, der jede andere Welt, jeden anderen Anspruch ausschließt. Aber wir brauchen einander alle, wenn je etwas gut und ganz werden soll.«

Friedl lachte boshaft: »Brauchen. Natürlich, das ist es; vielleicht brauche ich nämlich einmal Haderer...«

Ich sagte: »So habe ich es nicht gemeint.«

Friedl: »Aber warum nicht? Ich werde ihn brauchen, du hast leicht reden im allgemeinen, du hast nicht eine Frau und drei Kinder. Und du wirst vielleicht, wenn du nicht Haderer brauchst, einmal jemand anderen brauchen, der auch nicht besser ist.« Ich antwortete nicht.

»Drei Kinder habe ich«, schrie er, und dann zeigte er, einen halben Meter über dem Boden mit der Hand hin und her fahrend, wie klein die Kinder waren.
»Hör auf«, sagte ich, »das ist kein Argument. So können wir nicht reden.«
Friedl wurde zornig: »Doch, es ist ein Argument, du weißt überhaupt nicht, was für ein starkes Argument das ist, fast für alles. Mit zweiundzwanzig habe ich geheiratet. Was kann ich dafür. Du ahnst ja nicht, was das heißt, du ahnst es nicht einmal!«
Er verzog sein Gesicht und stützte sich mit der ganzen Kraft auf das Waschbecken. Ich dachte, er würde umsinken. Bertoni kam wieder heraus, wusch sich nicht einmal die Hände und verließ den Raum so rasch, als fürchtete er, seinen Namen noch einmal zu hören und noch mehr als seinen Namen.
Friedl schwankte und sagte: »Du magst Herz nicht? Habe ich recht?«
Ich antwortete ungern. »Wieso denkst du das? . . . Gut, also, ich mag ihn nicht. Weil ich ihm vorwerfe, daß er mit denen beisammen sitzt. Weil ich es ihm immerzu vorwerfe. Weil er mitverhindert, daß wir mit ihm und noch ein paar anderen an einem anderen Tisch sitzen können. Er aber sorgt dafür, daß wir alle an einem Tisch sitzen.«
Friedl: »Du bist verrückt, noch verrückter als ich. Erst sagst du, wir brauchen einander, und jetzt wirfst du Herz das vor. Ihm werfe ich es nicht vor. Er hat das Recht dazu, mit Ranitzky befreundet zu sein.«

Ich sagte aufgebracht: »Nein, das hat er nicht. Keiner hat ein Recht dazu. Auch er nicht.«
»Ja, nach dem Krieg«, sagte Friedl, »da haben wir doch gedacht, die Welt sei für immer geschieden in Gut und Böse. Ich werde dir aber sagen, wie die Welt aussieht, wenn sie geschieden ist reinlich.
Es war, als ich nach London kam und Herz' Bruder traf. Die Luft war mir abgeschnitten. Ich konnte kaum atmen, er wußte nichts von mir, aber es genügte ihm nicht einmal, daß ich so jung war, er fragte mich sofort: Wo waren Sie in der Zeit und was haben Sie getan? Ich sagte, ich sei in der Schule gewesen und man hätte meine älteren Brüder als Deserteure erschossen, ich sagte auch, daß ich zuletzt noch hatte mitmachen müssen, wie alle aus meiner Klasse. Darauf fragte er nicht weiter, aber er begann zu fragen nach einigen Leuten, die er gekannt hatte, auch nach Haderer und Bertoni, nach vielen. Ich versuchte zu sagen, was ich wußte, und es kam also heraus, daß es einigen von denen leid tat, daß einige sich genierten, ja, mehr konnte man wohl beim besten Willen nicht sagen, und andere waren ja tot, und die meisten leugneten und verschleierten, das sagte ich auch. Haderer wird immer leugnen, seine Vergangenheit fälschen, nicht wahr? Aber dann merkte ich, daß dieser Mann mir gar nicht mehr zuhörte, er war ganz erstarrt in einem Gedanken, und als ich wieder von den Unterschieden zu reden begann, der Gerechtigkeit halber sagte, daß Bertoni vielleicht nie etwas Schlech-

tes getan habe in der Zeit und höchstens feige gewesen war, unterbrach er mich und sagte: Nein, machen Sie bloß keinen Unterschied. Für mich ist da kein Unterschied, und zwar für immer. Ich werde dieses Land nie mehr betreten. Ich werde nicht unter die Mörder gehen.« –

»Ich verstehe es, verstehe ihn sogar besser als Herz. Obwohl –«, sagte ich langsam, »so geht es eigentlich auch nicht, nur eine Weile, nur so lange das Ärgste vom Argen währt. Man ist nicht auf Lebenszeit ein Opfer. So geht es nicht.«

»Mir scheint, es geht in der Welt auf gar keine Weise! Wir schlagen uns hier herum und sind nicht einmal fähig, diese kleine trübe Situation für uns aufzuklären, und vorher haben sich andere herumgeschlagen, haben nichts aufklären können und sind ins Verderben gerannt, sie waren Opfer oder Henker, und je tiefer man hinuntersteigt in die Zeit, desto unwegsamer wird es, ich kenne mich manchmal nicht mehr aus in der Geschichte, weiß nicht, wohin ich mein Herz hängen kann, an welche Parteien, Gruppen, Kräfte, denn ein Schandgesetz erkennt man, nach dem alles angerichtet ist. Und man kann immer nur auf seiten der Opfer sein, aber das ergibt nichts, sie zeigen keinen Weg.«

»Das ist das Furchtbare«, schrie Friedl, »die Opfer, die vielen, vielen Opfer zeigen gar keinen Weg! Und für die Mörder ändern sich die Zeiten. Die Opfer sind die Opfer. Das ist alles. Mein Vater war ein Opfer der

Dollfuß-Zeit, mein Großvater ein Opfer der Monarchie, meine Brüder Opfer Hitlers, aber das hilft mir nicht, verstehst du, was ich meine? Sie fielen nur hin, wurden überfahren, abgeschossen, an die Wand gestellt, kleine Leute, die nicht viel gemeint und gedacht haben. Doch, zwei oder drei haben sich etwas dazu gedacht, mein Großvater hat an die kommende Republik gedacht, aber sage mir, wozu? Hätte sie ohne diesen Tod denn nicht kommen können? Und mein Vater hat an die Sozialdemokratie gedacht, aber sage mir, wer seinen Tod beanspruchen darf, doch nicht unsere Arbeiterpartei, die die Wahlen gewinnen will. Dazu braucht es keinen Tod. Dazu nicht. Juden sind gemordet worden, weil sie Juden waren, nur Opfer sind sie gewesen, so viele Opfer, aber doch wohl nicht, damit man heute endlich draufkommt, schon den Kindern zu sagen, daß sie Menschen sind? Etwas spät, findest du nicht? Nein, das versteht eben niemand, daß die Opfer zu nichts sind! Genau das versteht niemand und darum beleidigt es auch niemand, daß diese Opfer auch noch für Einsichten herhalten müssen. Es bedarf doch dieser Einsichten gar nicht. Wer weiß denn hier nicht, daß man nicht töten soll?! Das ist doch schon zweitausend Jahre bekannt. Ist darüber noch ein Wort zu verlieren? Oh, aber in Haderers letzter Rede, da wird noch viel darüber geredet, da wird das geradezu erst entdeckt, da knäuelt er in seinem Mund Humanität, bietet Zitate aus den Klassikern auf, bietet die Kirchenväter auf und die neuesten metaphysischen Platitüden. Das ist doch irrsinnig. Wie kann ein Mensch darüber Worte machen. Das ist ganz und gar schwachsinnig oder gemein. Wer sind wir denn, daß man uns solche Dinge sagen muß?«

Und er fing noch einmal an: »Sagen soll mir einer, warum wir hier beisammen sitzen. Das soll mir einer sagen, und ich werde zuhören. Denn es ist ohnegleichen, und was daraus hervorgehen wird, wird auch ohnegleichen sein.«

Ich verstehe diese Welt nicht mehr! – das sagten wir uns oft in den Nächten, in denen wir tranken und redeten und meinten. Jedem schien aber für Augenblicke, daß sie zu verstehen war. Ich sagte Friedl, ich verstünde alles und er habe unrecht, nichts zu verstehen. Aber ich verstand dann auf einmal auch nichts mehr, und ich dachte jetzt, ich könnte ja nicht einmal leben mit ihm, noch weniger natürlich mit den anderen. Schlechterdings konnte man mit einem Mann wie Friedl auch nicht in einer Welt leben, mit dem man sich zwar einig war in vielen Dingen, aber für den eine Familie ein Argument war, oder mit Steckel, für den Kunst ein Argument war. Auch mit Mahler konnte ich manchmal nicht in einer Welt leben, den ich am liebsten hatte. Wußte ich denn, ob er bei meiner nächsten Entscheidung dieselbe Entscheidung treffen würde? »Nach hinten« waren wir einverstanden miteinander, aber was die Zukunft betraf? Vielleicht war ich auch bald von ihm und Friedl geschie-

den – wir konnten nur hoffen, dann nicht geschieden zu sein.
Friedl wimmerte, richtete sich auf und schwankte zur nächsten Klosettür. Ich hörte, wie er sich erbrach, gurgelte und röchelte und dazwischen sagte: »Wenn das doch alles heraufkäme, wenn man alles ausspeien könnte, alles, alles!«
Als er herauskam, strahlte er mich mit verzerrtem Gesicht an und sagte: »Bald werde ich Bruderschaft trinken mit denen da drinnen, vielleicht sogar mit Ranitzky. Ich werde sagen . . .«
Ich hielt ihm das Gesicht unter die Wasserleitung, trocknete es ihm, dann packte ich ihn am Arm. »Du wirst nichts sagen!« Wir waren schon zu lange weg gewesen und mußten zurück an den Tisch. Als wir an dem großen Saal vorbeikamen, lärmten die Männer von dem »Kameradschaftstreffen« schon derart, daß ich kein Wort von dem verstand, was Friedl noch sagte. Er sah wieder besser aus. Ich glaube, wir lachten über etwas, über uns selber wahrscheinlich, als wir die Tür aufstießen zum Extrazimmer.
Noch dickerer Rauch stand in der Luft, und wir konnten kaum hinübersehen bis zu dem Tisch. Als wir näher kamen und durch den Rauch kamen und unseren Wahn abstreiften, sah ich neben Mahler einen Mann sitzen, den ich nicht kannte. Beide schwiegen und die anderen redeten. Als Friedl und ich uns wieder setzten und Bertoni uns einen verschwommenen Blick gab, stand der Unbekannte auf und gab uns die

Hand; er murmelte einen Namen. Es war nicht die geringste Freundlichkeit in ihm, überhaupt nichts Zugängliches, sein Blick war kalt und tot, und ich schaute fragend Mahler an, der ihn kennen mußte. Er war ein sehr großer Mensch, Anfang dreißig, obwohl er älter wirkte im ersten Augenblick. Er war nicht schlecht gekleidet, aber es sah aus, als hätte ihm jemand einen Anzug geschenkt, der noch etwas größer war, als seine Größe es verlangte. Es brauchte eine Weile, bis ich von dem Gespräch wieder etwas auffassen konnte, an dem sich weder Mahler noch der Fremde beteiligten.
Haderer zu Hutter: »Aber dann kennen Sie ja auch den General Zwirl!«
Hutter erfreut zu Haderer: »Aber natürlich. Aus Graz.«
Haderer: »Ein hochgebildeter Mensch. Einer der besten Kenner des Griechischen. Einer meiner liebsten alten Freunde.«
Jetzt mußte man befürchten, daß Haderer Friedl und mir unsere mangelhaften Griechisch- und Lateinkenntnisse vorhalten würde, ungeachtet dessen, daß seinesgleichen uns daran gehindert hatte, diese Kenntnisse rechtzeitig zu erwerben. Aber ich war nicht in der Stimmung, auf eines der von Haderer bevorzugten Themen einzugehen oder gar ihn herauszufordern, sondern beugte mich zu Mahler hinüber, als hätte ich nichts gehört. Mahler sagte leise etwas zu dem Fremden, und der antwortete, grade vor sich hinblickend,

laut. Auf jede Frage antwortete er nur mit einem Satz. Ich schätzte, er müsse ein Patient Mahlers sein oder jedenfalls ein Freund, der sich von ihm behandeln ließ. Mahler kannte immer alle möglichen Individuen und hatte Freundschaften, von denen wir nichts wußten. In einer Hand hielt der Mann eine Zigarettenpackung, mit der anderen rauchte er, wie ich noch nie jemand hatte rauchen gesehen. Er rauchte mechanisch und sog in ganz gleichmäßigen Abständen an der Zigarette, als wäre Rauchen alles, was er könne. An dem Rest der Zigarette, einem sehr kurzen Rest, an dem er sich verbrannte, ohne das Gesicht zu verziehen, zündete er die nächste Zigarette an und rauchte um sein Leben.
Plötzlich hielt er inne im Rauchen, hielt die Zigarette zitternd in seinen riesigen unschönen geröteten Händen und neigte den Kopf. Jetzt hörte ich es auch. Obwohl die Türen geschlossen waren, tönte von dem großen Saal jenseits des Ganges bis zu uns herüber der gegrölte Gesang. Es hörte sich an wie »In der Heimat, in der Heimat, da gibt's ein Wiedersehn . . .«
Er zog rasch an seiner Zigarette und sagte laut zu uns her, mit derselben Stimme, mit der er Mahler seine Antworten gegeben hatte:
»Die kehren noch immer heim. Die sind wohl noch nicht ganz heimgekehrt.«
Haderer lachte und sagte: »Ich weiß nicht, wie ich Sie verstehen soll, aber das ist wirklich eine unglaubliche Störung, und mein verehrter Freund, der Oberst

von Winkler, könnte seine Leute auch zu mehr Ruhe anhalten ... Wenn das so weitergeht, müssen wir uns noch nach einem anderen Lokal umsehen.«
Bertoni warf ein, er habe schon mit dem Wirt gesprochen, es sei eine Ausnahme, dieses Frontkämpfertreffen, eines großen Jubiläums wegen. Genaueres wisse er nicht ...
Haderer sagte, er wisse auch nichts Genaueres, aber sein verehrter Freund und ehemaliger Kamerad ...
Mir war entgangen, was der Unbekannte, der weiterredete, während Haderer und Bertoni ihn übertönten, zu uns her gesagt hatte – Friedl allein dürfte ihm zugehört haben –, und darum war mir unklar, warum er plötzlich sagte, er sei ein Mörder.
»... ich war keine zwanzig Jahre alt, da wußte ich es schon«, sagte er wie jemand, der nicht zum erstenmal darangeht, seine Geschichte zu erzählen, sondern der überall von nichts anderem reden kann und nicht einen bestimmten Zuhörer braucht, sondern dem jeder Zuhörer recht ist. »Ich wußte, daß ich dazu bestimmt war, ein Mörder zu sein, wie manche dazu bestimmt sind, Helden oder Heilige oder durchschnittliche Menschen zu sein. Mir fehlte nichts dazu, keine Eigenschaft, wenn Sie so wollen, und alles trieb mich auf ein Ziel zu: zu morden. Mir fehlte nur noch ein Opfer. Ich rannte damals nachts durch die Straßen, hier« – er wies vor sich hin durch den Rauch, und Friedl lehnte sich rasch zurück, damit er nicht von der Hand berührt würde – »hier rannte ich durch

die Gassen, die Kastanienblüten dufteten, immer war die Luft voll von Kastanienblüten, auf den Ringstraßen und in den engen Gassen, und mein Herz verrenkte sich, meine Lungen arbeiteten wie wilde, eingezwängte Flügel, und mein Atem kam aus mir wie der Atem eines jagenden Wolfes. Ich wußte nur noch nicht, wie ich töten sollte und wen ich töten sollte. Ich hatte nur meine Hände, aber ob sie ausreichen würden, einen Hals zuzudrücken? Ich war damals viel schwächer und schlecht ernährt. Ich kannte niemand, den ich hätte hassen können, war allein in der Stadt, und so fand ich das Opfer nicht und wurde fast wahnsinnig darüber in der Nacht. Immer war es in der Nacht, daß ich aufstehn und hinuntergehen mußte, hinaus, und an den windigen, verlassenen, dunklen Straßenecken stehen und warten mußte, so still waren die Straßen damals, niemand kam vorbei, niemand sprach mich an, und ich wartete, bis ich zu frieren anfing und zu winseln vor Schwäche und der Wahnsinn aus mir wich. Das währte nur eine kurze Zeit. Dann wurde ich zum Militär geholt. Als ich das Gewehr in die Hand bekam, wußte ich, daß ich verloren war. Ich würde einmal schießen. Ich überantwortete mich diesem Gewehrlauf, ich lud ihn mit Kugeln, die ich so gut wie das Pulver erfunden hatte, das war sicher. Bei den Übungen schoß ich daneben, aber nicht, weil ich nicht zielen konnte, sondern weil ich wußte, daß das Schwarze, dieses Augenhafte, kein Auge war, daß es nur in Stellvertretung da war, ein Übungsziel, das keinen Tod brachte. Es irritierte mich, war nur eine verführerische Attrappe, nicht Wirklichkeit. Ich schoß, wenn Sie so wollen, mit Zielsicherheit daneben. Ich schwitzte entsetzlich bei diesen Übungen, nachher wurde ich oft blau im Gesicht, erbrach mich und mußte mich hinlegen. Ich war entweder irrsinnig oder ein Mörder, das wußte ich genau, und mit einem letzten Rest von Widerstand gegen dieses Schicksal redete ich darüber zu den anderen, damit sie mich schützten, damit sie geschützt waren vor mir und wußten, mit wem sie es zu tun hatten. Aber die Bauernburschen, Handwerker und die Angestellten, die auf meiner Stube waren, machten sich nichts daraus. Sie bedauerten mich oder verlachten mich, aber sie hielten mich nicht für einen Mörder. Oder doch? Ich weiß nicht. Einer sagte ›Jack the Ripper‹ zu mir, ein Postbeamter, der viel ins Kino ging und las, ein schlauer Mensch; aber ich glaube, im Grunde glaubte er es auch nicht.«

Der Unbekannte drückte seine Zigarette aus, sah rasch nieder und dann auf, ich fühlte seinen kalten langen Blick auf mich gerichtet und ich wußte nicht, warum ich wünschte, diesen Blick auszuhalten. Ich hielt ihn aus, aber er dauerte länger als der Blick, den Liebende und Feinde tauschen, dauerte, bis ich nichts mehr denken und meinen konnte und so leer war, daß ich zusammenfuhr, als ich die laute, gleichmäßige Stimme wieder hörte.

»Wir kamen nach Italien, nach Monte Cassino. Das

war das größte Schlachthaus, das Sie sich denken können. Dort wurde dem Fleisch so der Garaus gemacht, daß man meinen könnte, für einen Mörder wäre es ein Vergnügen. Es war aber nicht so, obwohl ich schon ganz sicher war, daß ich ein Mörder war, und ich war ein halbes Jahr sogar öffentlich mit einem Gewehr herumgegangen. Ich hatte, als ich in die Stellung von Monte Cassino kam, keinen Fetzen von einer Seele mehr an mir. Ich atmete den Leichengeruch, Brand- und Bunkergeruch wie die frischeste Gebirgsluft. Ich verspürte nicht die Angst der anderen. Ich hätte Hochzeit halten können mit meinem ersten Mord. Denn was für die anderen einfach ein Kriegsschauplatz war, das war für mich ein Mordschauplatz. Aber ich will Ihnen sagen, wie es kam. Ich schoß nicht. Ich legte zum erstenmal an, als wir eine Gruppe von Polen vor uns hatten; es sind dort ja aus allen Ländern Truppen gelegen. Da sagte ich mir: nein, keine Polen. Mir paßte es nicht, dieses Benamen der anderen – Polacken, Amis, Schwarze – in dieser Umgangssprache. Also keine Amerikaner, keine Polen. Ich war ja ein einfacher Mörder, ich hatte keine Ausrede, und meine Sprache war deutlich, nicht blumig wie die der anderen. »Ausradieren«, »aufreiben«, »ausräuchern«, solche Worte kamen für mich nicht in Frage, sie ekelten mich an, ich konnte das gar nicht aussprechen. Meine Sprache war also deutlich, ich sagte mir: Du mußt und du willst einen Menschen morden. Ja, das wollte ich und schon lange, seit genau einem Jahr fieberte ich danach. Einen Menschen! Ich konnte nicht schießen, das müssen Sie einsehen. Ich weiß nicht, ob ich es Ihnen ganz erklären kann. Die anderen hatten es leicht, sie erledigten ihr Pensum, sie wußten meist nicht, ob sie jemand getroffen hatten und wie viele, sie wollten es auch nicht wissen. Diese Männer waren ja keine Mörder, nicht wahr?, die wollten überleben oder sich Auszeichnungen verdienen, sie dachten an ihre Familien oder an Sieg und Vaterland, im Augenblick übrigens kaum, damals kaum mehr, sie waren ja in der Falle. Aber ich dachte unentwegt an Mord. Ich schoß nicht. Eine Woche später, als die Schlacht einmal den Atem anhielt, als wir nichts mehr von den alliierten Truppen sahen, als nur die Flugzeuge versuchten, uns den Rest zu geben und noch lange nicht alles Fleisch hin war, das dort hinwerden sollte, wurde ich zurückgeschafft nach Rom und vor ein Militärgericht gebracht. Ich sagte dort alles über mich, aber man wollte mich wohl nicht verstehen, und ich kam ins Gefängnis. Ich wurde verurteilt wegen Feigheit vor dem Feinde und Zersetzung der Wehrkraft, es waren da noch einige Punkte, deren ich mich nicht mehr so genau entsinne. Dann wurde ich plötzlich wieder herausgeholt, nach Norden gebracht zur Behandlung in eine psychiatrische Klinik. Ich glaube, ich wurde geheilt und kam ein halbes Jahr später zu einer anderen Einheit, denn von der alten war nichts übriggeblieben, und es ging nach dem Osten, in die Rückzugsschlachten.«

Hutter, der eine so lange Rede nicht ertragen konnte und gerne jemand anderen zum Geschichten- oder Witzeerzählen gebracht hätte, sagte, indem er ein Brezel brach: »Nun, und ist es dann gegangen mit dem Schießen, mein Herr?«
Der Mann sah ihn nicht an und, anstatt noch einmal zu trinken wie alle anderen in diesem Augenblick, schob er sein Glas weg, in die Mitte des Tisches. Er sah mich an, dann Mahler und dann noch einmal mich, und diesmal wendete ich meine Augen ab.
»Nein«, sagte er schließlich, »ich war ja geheilt. Deswegen ging es nicht. Sie werden das verstehen, meine Herren. Einen Monat später war ich wieder verhaftet und bis zum Kriegsende in einem Lager. Sie werden verstehen, ich konnte nicht schießen. Wenn ich nicht mehr auf einen Menschen schießen konnte, wieviel weniger dann auf eine Abstraktion, auf die ›Russen‹. Darunter konnte ich mir überhaupt nichts vorstellen. Und man muß sich doch etwas vorstellen können.«
»Ein komischer Vogel«, sagte Bertoni leise zu Hutter; ich hörte es trotzdem und fürchtete, der Mann habe es auch gehört.
Haderer winkte den Ober herbei und verlangte die Rechnung.
Aus dem großen Saal hörte man jetzt einen anschwellenden Männerchor, es hörte sich an wie der Chor in der Oper, wenn er hinter die Kulissen verbannt ist. Sie sangen: »Heimat, deine Sterne . . .«
Der Unbekannte hielt wieder lauschend den Kopf ge-

neigt, dann sagte er: »Als wär kein Tag vergangen.« Und: »Gute Nacht!« Er stand auf und ging riesenhaft und ganz aufrecht der Tür zu. Mahler stand ebenfalls auf und sagte mit erhobener Stimme: »Hören Sie!« Es war ein stehender Ausdruck von ihm, aber ich wußte, daß er jetzt wirklich gehört werden wollte. Und doch sah ich ihn zum erstenmal unsicher, er sah zu Friedl und mir her, als wollte er sich einen Rat holen. Wir starrten ihn an; es war kein Rat in unseren Blicken.

Wir verloren Zeit mit dem Zahlen, Mahler ging finster, überlegend und drängend auf und ab, drehte sich plötzlich zur Tür, riß sie auf, und wir folgten ihm, denn der Gesang war plötzlich abgerissen, nur ein paar einzelne Stimmen, auseinanderfallend, waren noch zu hören. Und zugleich gab es eine Bewegung im Gang, die einen Handel oder ein Unglück verriet.

Wir stießen im Gang mit einigen Männern zusammen, die durcheinanderschrien; andere schwiegen verstört. Nirgends sahen wir den Mann. Auf Haderer redete jemand ein, dieser Oberst vermutlich, weiß im Gesicht und im Diskant sprechend. Ich hörte die Satzfetzen: ». . . unbegreifliche Provokation . . . ich bitte Sie . . . alte Frontsoldaten . . .«. Ich schrie Mahler zu, mir zu folgen, rannte zur Stiege und nahm mit ein paar Sprüngen die Stufen, die dunkel, feucht und steinig wie aus einem Stollen hinauf in die Nacht und ins Freie führten. Unweit vom Eingang des Kellers lag er. Ich beugte mich zu ihm nieder. Er blutete aus

mehreren Wunden. Mahler kniete neben mir, nahm meine Hand von der Brust des Mannes fort und bedeutete mir, daß er schon tot war.
Es hallte in mir die Nacht, und ich war in meinem Wahn.
Als ich am Morgen heimkam und kein Aufruhr mehr in mir war, als ich nur mehr dastand in meinem Zimmer, stand und stand, ohne mich bewegen zu können und ohne bis zu meinem Bett zu finden, fahl und gedankenlos, sah ich auf der Innenfläche meiner Hand das Blut. Ich erschauerte nicht. Mir war, als hätte ich durch das Blut einen Schutz bekommen, nicht um unverwundbar zu sein, sondern damit die Ausdünstung meiner Verzweiflung, meiner Rachsucht, meines Zorns nicht aus mir dringen konnten. Nie wieder. Nie mehr. Und sollten sie mich verzehren, diese hinrichtenden Gedanken, die in mir aufgestanden waren, sie würden niemand treffen, wie dieser Mörder niemand gemordet hatte und nur ein Opfer war – zu nichts. Wer aber weiß das? Wer wagt das zu sagen?

EIN SCHRITT NACH GOMORRHA

Die letzten Gäste waren gegangen. Nur das Mädchen in dem schwarzen Pullover und dem roten Rock saß noch da, hatte sich nicht mit den anderen erhoben. Sie ist betrunken, dachte Charlotte, als sie ins Zimmer zurückkam, sie will mit mir allein sprechen, mir womöglich etwas erzählen, und ich bin todmüde. Sie schloß die Tür, in der sie zögernd gestanden hatte, um dem letzten Gast noch eine Möglichkeit zu geben, die offenstehende Tür wahrzunehmen, und nahm von der Kommode einen Aschenbecher, über dessen Rand kleine Aschenhäute rieselten. Im Zimmer: die verrückten Stühle, eine verknüllte Serviette auf dem Boden, die gedunsene Luft, die Verwüstung, die Leere nach dem Überfall. Ihr wurde übel. Sie hielt noch ein brennendes Zigarettenende in der Hand und versuchte, es hineinzudrücken in den Haufen von Stummeln und Asche. Es qualmte jetzt. Sie sah blinzelnd hinüber zu dem Sessel in der Ecke, auf herabhängendes Haar, das rötlich glänzte, auf den roten Rock, der, wie eine Capa ausgebreitet, über die Beine des Mädchens fiel und in einem Halbkreis Füße, Teppich und Sessel verdeckte, am Boden schleifte. Mehr als das Mädchen selbst, sah sie alle diese unstimmigen vielen

Rottöne im Raum: das Licht, das durch einen roten Lampenschirm mußte, mit einer flirrenden Staubsäule davor; eine Reihe von roten Bücherrücken dahinter auf einem Regal; den filzigen wilden Rock und die matteren Haare. Nun war einen Augenblick lang alles so, wie es nie wieder sein konnte – ein einziges Mal war die Welt in Rot.

Die Augen des Mädchens gingen darin auf, zwei feuchte, dunkle, betrunkene Objekte, und trafen die Augen der Frau.

Charlotte dachte: ich werde sagen, daß ich mich schlecht fühle und schlafen gehen muß. Nur diesen einen höflichen passenden Satz muß ich finden, sie damit zum Gehen bringen. Sie muß gehen. Warum geht sie nicht? Ich bin todmüde. Warum gehen Gäste nie? Warum bloß ist sie nicht mit den anderen gegangen?

Aber der Augenblick war vertan, sie war zu lange schweigend dagestanden; sie ging leise weiter in die Küche, säuberte den Aschenbecher, wusch sich rasch das Gesicht, wusch den langen Abend weg, das viele Lächeln, die Aufmerksamkeit, das angestrengte die Augen-überall-haben. Vor ihren Augen blieb zurück: der weite Rock mit dem Todesrot, zu dem die Trommeln hätten gerührt werden müssen.

Sie wird mir eine Geschichte erzählen. Warum gerade mir? Sie bleibt, weil sie mit mir sprechen will. Hat kein Geld oder findet sich nicht zurecht in Wien, kommt von da unten, eine Slowenin, halbe Slowenin, von der Grenze, jedenfalls aus dem Süden, der Name klingt auch danach, Mara. Irgend etwas wird es schon sein, eine Bitte, eine Geschichte, irgendeine, mit der sie mich um den Schlaf bringen will. Zuviel allein wird sie natürlich in Wien sein oder sie ist in irgendeine Geschichte geraten. Franz fragen nach diesem Mädchen, morgen.

Morgen!

Charlotte erschrak, memorierte rasch ihre Pflichten: morgen früh Franz abholen, den Wecker stellen, frisch sein, ausgeschlafen sein, einen erfreuten Eindruck machen. Es war keine Zeit mehr zu verlieren. Sie füllte rasch zwei Gläser mit Mineralwasser und trug sie ins Zimmer, reichte eines dem Mädchen, das schweigend austrank und dann, während es das Glas wegstellte, brüsk sagte: Morgen kommt er also zurück.

Ja, sagte Charlotte. Zu spät verletzt, fügte sie hinzu: Wer? – Es war zu spät.

Er ist oft verreist. Da sind Sie viel allein.

Manchmal, nicht oft. Das wissen Sie doch.

Sie möchten, daß ich gehe?

Nein, sagte Charlotte.

Ich hatte das Gefühl, daß der Mann, der soviel gesprochen hat, auch noch gern geblieben wäre . . .

Nein, sagte Charlotte.

Ich hatte das Gefühl . . . Mara verzog den Mund.

Charlotte war zornig, aber sie antwortete noch immer höflich: Nein, gewiß nicht. – Sie stand auf. Ich werde uns einen Kaffee kochen. Und dann rufe ich ein Taxi.

Jetzt war ihr der Satz gelungen, sie hatte wieder Boden unter den Füßen, hatte dem Mädchen bedeutet, daß sie das Taxi bezahlen werde, und sie hatte sich vor allem diese Bemerkung verbeten.

Mara sprang auf und griff nach Charlottes Arm.

Nein, sagte sie, ich will das nicht. Sie sind heut abend oft genug in die Küche gelaufen. Wir können draußen Kaffee trinken. Kommen Sie. Gehen wir weg, weit weg. Ich kenne da eine Bar. Wir gehen, nicht wahr? – Charlotte befreite ihren Arm und ging, ohne Antwort, die Mäntel holen. Sie schob das Mädchen zur Tür hinaus. Sie war erleichtert. Im Treppenhaus, das dunkel war und nur in jeder Biegung von der Laterne im Hof schwach erleuchtet wurde, kam ihr Maras Hand entgegen, griff wieder nach ihrem Arm. Sie fürchtete, daß das Mädchen stürzen könne, und zog und stützte es zugleich, bis sie unten waren und das Tor erreicht hatten.

Der Franziskanerplatz lag da wie ein Dorfplatz, still. Geplätscher vom Brunnen, still. Man hätte gerne Wiesen und Wälder von nah gerochen, einen Blick nach dem Mond getan, zum Himmel, der sich wieder dicht und nachtblau eingestellt hatte nach einem lärmigen Tag. In der Weihburggasse ging niemand. Sie gingen rasch hinauf bis zur Kärntner Straße, und plötzlich nahm Mara wieder, wie ein furchtsames Kind, Charlottes Hand. Sie hielten einander an den Händen und gingen noch rascher, als verfolgte sie jemand. Mara fing zu laufen an, und zuletzt liefen sie wie zwei

Schulmädchen, als gäbe es keine andere Gangart. Maras Armbänder klirrten, und eines drückte gegen Charlottes Handgelenk und schmerzte, trieb sie an.
Von Unsicherheit befallen, sah Charlotte sich in dem luftlosen und heißen Vorraum der Bar um. Mara hielt ihr die Tür ins Innere auf. Wieder war alles rot. Nun waren auch die Wände rot, höllenrot, die Stühle und die Tische, die Lichter, die wie Verkehrsampeln auf ihre Ablösung durch das grüne Licht des Morgens warteten und nun die Nacht aufhalten und die Menschen anhalten wollten in der Nacht, im Rauch, im Rausch. Aber diese Rottöne waren, weil kein Zufall sie angerichtet hatte, dennoch schwächer in der Wirkung als das erste viele Rot von vorhin, sie schwächten auch die Erinnerung daran, und Maras Haare und ihr weiter Rock wurden in dem gähnenden Rachen Rot verschlungen.
Es wurde lustlos getrunken und getanzt; trotzdem hatte Charlotte das Gefühl, in einen Höllenraum gelangt zu sein, gebrannt und leiden gemacht zu werden von ihr noch unbekannten Torturen. Die Musik, der Stimmenlärm folterten sie, denn sie hatte sich unerlaubt aus ihrer Welt entfernt und fürchtete, entdeckt und gesehen zu werden von jemand, der sie kannte. Mit geducktem Kopf ging sie hinter Mara zu dem Tisch, an den sie der Kellner wies, einen langen Tisch, an dem schon zwei Männer in dunklen Anzügen saßen und, entfernter, ein junges Paar, das nicht einen Augenblick aufsah, sich gegenseitig mit

den Fingerspitzen berührte. Rundherum fluteten und drückten die Tanzenden, wie von den Planken eines untergehenden Schiffes abrutschend, gegen den Tisch, stampften auf den Boden, auf dem auch der Tisch in Gefahr geriet, als wollten sie in die Tiefe. Alles schwankte, rauchte, dunstete in dem Rotlicht. Alles wollte in die Tiefe, lärmumschlungen tiefer, lustlos tiefer.

Charlotte bestellte Kaffee und Wein. Als sie wieder aufsah, war Mara aufgestanden und hatte begonnen, einen Meter entfernt von ihr, zu tanzen. Erst schien es, als wäre sie allein, aber dann war auch der Mann wahrzunehmen, der mit ihr tanzte, ein erhitzter dünner Bursche, ein Lehrling oder Student, der mit den Hüften und Beinen schlenkerte, auch allein für sich tanzte und nur hin und wieder nach Maras Händen griff oder sie kurz in den Arm nahm, um sie dann gleich wieder von sich zu stoßen und ihren eigenen erfinderischen Bewegungen zu überlassen. Mara wandte ihr Gesicht Charlotte zu, lächelte, wand sich, warf die Haare mit der Hand hoch. Einmal hüpfte sie ganz nahe zu Charlotte hin und verbeugte sich zierlich.

Sie erlauben doch?

Charlotte nickte steif. Sie wandte sich ab, trank in kleinen Schlucken; sie wollte das Mädchen nicht stören, indem sie es beobachtete. Ein Mann trat hinter ihren Stuhl und forderte sie zum Tanzen auf. Sie schüttelte den Kopf. Sie klebte auf ihrem Stuhl, und

ihre Zunge klebte, schon wieder trocken, fest in ihrem Mund. Sie wollte aufstehen, heimlich gehen, wenn Mara nicht hersah. Aber sie ging nicht – doch das wußte sie erst später ganz deutlich –, weil sie keinen Augenblick lang das Gefühl hatte, daß Mara tanzte, um zu tanzen, oder daß sie mit jemand hier tanzen oder hierbleiben oder sich vergnügen wollte. Denn sie sah immerzu her, führte ihren Tanz nur auf, damit Charlotte hinsah. Sie zog ihre Arme durch die Luft und ihren Körper durch den Raum wie durch Wasser, sie schwamm und stellte sich zur Schau, und Charlotte, endlich bezwungen und um endlich ihren Blikken eine unverkennbare Richtung geben zu können, folgte ihr bei jeder Bewegung.
Ende der Musik. Eine atemlose, strahlende Mara, die sich setzte und nach Charlottes Hand griff. Ineinander verschlungene Hände. Geflüster. Sind Sie böse? Kopfschütteln. Eine große Dumpfheit. Jetzt aufstehen und gehen können, diese kleinen klettenhaften Hände loswerden können. Charlotte befreite mit einem Ruck ihre rechte Hand, griff nach dem Weinglas und trank. Auch der Wein ging nicht aus, wieviel davon sie auch trinken mochte. Die Zeit ging nicht aus; diese Blicke, diese Hände, sie gingen nicht aus. Die beiden Männer am Tisch wandten sich an Mara, tuschelten mit ihr, lachten ihr zu.
Machen wir eine Brücke, Fräulein?
Mara hob ihre Hände, spielte mit den Händen der Männer ein kurzes Spiel, das Charlotte nicht kannte.

Nein, keine Brücke, keine Brücke! rief sie lachend, kehrte den Männern ebenso plötzlich den Rücken, wie sie sich mit ihnen eingelassen hatte, und tauchte, heimkehrend, mit ihren Händen unter Charlottes Hände, die weiß und kalt nebeneinander auf dem Tisch lagen.
Ach, die Damen wollen unter sich sein, sagte der eine der Männer und lachte gutmütig seinem Freund zu. Charlotte schloß die Augen. Sie spürte den Druck von Maras harten Fingern und erwiderte ihn, ohne zu wissen warum und ohne es zu wünschen. Ja, so war das. Das war es. Sie kam langsam wieder zu sich, hielt die Augen unverwandt vor sich nieder auf die Tischplatte und rührte sich nicht. Sie wollte sich nie mehr rühren. Es konnte ihr jetzt gleich sein, ob sie gingen oder blieben, ob sie bis zum Morgen ausgeschlafen sein würde oder nicht, ob diese Musik weiterging, jemand sie ansprach, jemand sie erkannte . . .
Du, sag etwas! Du . . . gefällt es dir hier nicht? Gehst du denn nie tanzen, nie aus, um zu trinken . . .? Sag etwas!
Schweigen.
Sag doch etwas. Lach ein bißchen. Hältst du das aus, dort oben bei dir? Ich könnte das nicht aushalten, allein herumgehen, allein schlafen, allein in der Nacht und tags arbeiten, immer üben . . . Oh, das ist furchtbar. Das hält niemand aus!
Charlotte sagte mühsam: Gehen wir.
Sie fürchtete, loszuweinen.

Als sie auf der Straße waren, fand sie wieder den Satz nicht, der sie schon einmal gerettet hatte. Früher war der Satz möglich gewesen: Ich lasse Ihnen ein Taxi rufen . . . Aber jetzt hätte sie diesen Satz übersetzen müssen in einen Satz mit einem Du. Diesen Satz konnte sie nicht bilden. Langsam gingen sie zurück. Charlotte steckte ihre Hände in die Manteltaschen. Ihre Hand wenigstens sollte Mara nicht mehr haben.

Die Stiegen am Franziskanerplatz fand Mara diesmal ohne Hilfe, ohne Frage im Dunkel. Sie ging voraus, als wäre sie diese Stiege schon oft hinauf- und hinuntergegangen. Charlotte steckte den Schlüssel ins Schloß und hielt inne. »Unsere Wohnung« konnte das nicht mehr sein, wenn sie jetzt wirklich aufschloß, Mara nicht noch hinunterstieß über die Stiegen. Ich müßte sie hinunterstoßen, dachte Charlotte und drehte den Schlüssel.

Drinnen schlang Mara, im nächsten Augenblick, die Arme um ihren Hals, hing wie ein Kind an ihr. Ein kleiner rührender Körper hängte sich an den ihren, der ihr mit einemmal größer und stärker als sonst vorkam. Charlotte befreite sich mit einer raschen Bewegung, streckte den Arm aus und machte Licht.

Sie setzten sich im Zimmer, wie sie zuletzt dagesessen hatten, und rauchten.

Das ist Wahnsinn, du bist wahnsinnig, sagte Charlotte, wie ist das nur möglich . . .? Sie hielt inne, sprach nicht weiter, so lächerlich kam sie sich vor. Sie rauchte und dachte, daß diese Nacht kein Ende

nehmen werde, daß diese Nacht ja erst im Anfang war und womöglich ohne Ende.
Vielleicht blieb Mara jetzt für immer da, immer, immer, immer, und sie selber würde nun für immer nachdenken müssen, was sie getan oder gesagt habe, um schuld daran zu sein, daß Mara da war und dablieb.
Als sie hilflos zu dem Mädchen hinübersah, bemerkte sie, daß Tränen aus Maras Augen liefen.
Wein doch nicht. Bitte, wein nicht.
Du willst mich nicht. Niemand will mich.
Bitte, wein nicht. Du bist sehr lieb, sehr schön, aber...
Warum willst du mich nicht? Warum? – Neue Tränen.
Ich kann nicht.
Du willst nicht. Warum? Sag bloß, warum du mich nicht magst, dann gehe ich! – Mara fiel auf die Knie; langsam kippte sie aus dem Sessel, kam auf die Knie zu liegen und legte den Kopf in Charlottes Schoß. Dann gehe ich, dann bist du mich los.
Charlotte rührte sich nicht, sie sah, rauchend, nieder auf das Mädchen, studierte jeden Zug in dem Gesicht, jeden ausbrechenden Blick. Sehr lange und sehr genau sah sie es an.
Das war Wahnsinn. Noch nie hatte sie . . . Einmal, in der Schulzeit, als sie der Geschichtslehrerin die Hefte ins Konferenzzimmer hatte bringen müssen und niemand sonst in dem Raum war, war die aufgestanden, hatte den Arm um sie gelegt, sie auf die Stirn geküßt.

»Liebes Mädchen.« Dann hatte Charlotte sich, erschreckt, weil die Lehrerin sonst so streng war, umgedreht und war zur Tür hinausgelaufen. Lange noch hatte sie sich verfolgt gefühlt von den zwei zärtlichen Worten. Von dem Tag an wurde sie noch strenger geprüft als die anderen, und ihre Noten wurden noch schlechter. Aber sie beschwerte sich bei niemand, erduldete die unverschuldete kalte Behandlung; sie hatte begriffen, daß auf diese Zärtlichkeit nur diese Strenge folgen konnte.
Charlotte dachte: wie aber kann ich Mara berühren? Sie ist aus dem Stoff, aus dem ich gemacht bin. Und sie dachte traurig an Franz, der auf dem Weg zu ihr war, jetzt mußte der Zug schon an der Grenze sein, und niemand konnte ihn mehr aufhalten weiterzufahren, niemand konnte Franz warnen davor zurückzukommen, wo es »unsere Wohnung« aufgehört hatte zu geben. Oder gab es sie noch? Alles stand ja noch da, an seinem Ort, der Schlüssel hatte gesperrt, und wenn Mara nun wie durch ein Wunder verschwand oder plötzlich doch fortging, dann würde morgen alles nur wie ein Spuk erscheinen, es würde wie nie gewesen sein.
Bitte sei vernünftig. Ich muß auch noch schlafen und sehr früh aufstehen morgen.
Ich bin nicht vernünftig. Ach Liebes, liebes Schönes, und du lügst mich nur ein bißchen an, nicht wahr?
Warum? Wieso? – Charlotte, schläfrig, verraucht, leer, konnte nichts mehr auffassen. Ihre Gedanken

gingen noch wie Wachtposten in ihrem Kopf auf und ab, hörten die feindlichen Worte, sie waren auf der Hut, konnten aber nicht Alarm schlagen, sich bereit machen zur Abwehr.

Du lügst! O wie du lügst!

Ich weiß nicht, wovon du sprichst. Warum sollte ich lügen, und was überhaupt hast du für eine Lüge gehalten?

Du lügst. Du hast mich gerufen, hast mich kommen lassen zu dir, hast mich mitgenommen noch einmal in der Nacht, und jetzt ekelt dir vor mir, jetzt willst du's nicht wahrhaben, daß du mich gerufen hast zu dir!

Ich hätte dich . . .

Hast du mich nicht eingeladen? Was hat das bedeutet?

Charlotte weinte. Sie konnte die Tränen, die so plötzlich kamen, nicht mehr aufhalten. Ich lade viele Menschen ein.

Du lügst.

Maras nasses Gesicht, naß noch, während sie schon zu lachen begann, preßte sich gegen Charlottes Gesicht, zärtlich, warm, und ihrer beider Tränen vermischten sich. Die Küsse, die der kleine Mund gab, die Locken, die geschüttelt wurden über Charlotte, der kleine Kopf, der an ihren Kopf stieß, – alles war soviel kleiner, gebrechlicher, nichtiger als es je ein Kopf, je Haar, je Küsse gewesen waren, die über Charlotte gekommen waren. Sie suchte in ihren Gefühlen nach

einer Anweisung, in ihren Händen nach einem Instinkt, in ihrem Kopf nach einer Kundgebung. Sie blieb ohne Anweisung.
Charlotte hatte als Kind manchmal aus Überschwang ihre Katze geküßt, auf die kleine Schnauze, das feuchte, kühle, zarte Etwas, um das herum alles weich und fremd war – eine fremde Gegend für Küsse. So ähnlich feucht, zart, ungewohnt waren die Lippen des Mädchens. An die Katze mußte Charlotte denken und die Zähne zusammenpressen. Und zugleich versuchte sie doch zu bemerken, wie diese ungewohnten Lippen sich anfühlten.
So also waren ihre eigenen Lippen, so ähnlich begegneten sie einem Mann, schmal, fast widerstandslos, fast ohne Muskel – eine kleine Schnauze, nicht ernst zu nehmen.
Küß mich nur einmal, bettelte Mara. Nur ein einziges Mal.
Charlotte sah auf ihre Armbanduhr; es reizte sie plötzlich, auf die Uhr zu sehen, und sie wünschte, daß Mara es merke.
Wie spät ist es denn? – Ein neuer Ton war in der Stimme des Mädchens, von der Art, wie Charlotte noch nie einen bösen, aufsässigen Ton gehört hatte.
Vier Uhr, sagte sie trocken.
Ich bleibe. Hörst du? Ich bleibe. – Wieder der Unterton, bedrohlich, niederträchtig. Aber hatte nicht auch sie selber einmal so zu jemand gesagt: Ich bleibe. Sie hoffte inständig, sie habe es nie in diesem Ton gesagt.

Wenn du es noch nicht begriffen hast: es ist zwecklos, daß du bleibst. Und um sechs Uhr kommt unsere Bedienerin. – Sie mußte jetzt auch böse sein, Mara diesen Ton vergelten, sie sagte »unsere« und log überdies, denn sie hatte die Frau erst für neun Uhr bestellt.

Maras Augen brannten. Sag das nicht, o du, sag das nicht! Du bist gemein, so gemein. Was du mir antust, wenn du das wüßtest ... Glaubst du, ich werde zulassen, daß du auf die Bahn gehst und mit ihm zurückkommst! Umarmt er dich gut? Gut? Wie?

Charlotte schwieg; sie war so aufgebracht, daß sie kein Wort hervorbrachte.

Liebst du ihn? Nein? Man sagt ... ah, die Leute sagen allerhand ... Sie machte eine wegwerfende Handbewegung. Ah, wie ich das alles hasse. Wie ich Wien hasse! Dieses Studium hasse, die Schwätzer, diese Männer, diese Weiber, die Akademie, alles. Nur du, seit ich dich gesehen habe ... Du mußt anders sein. Du mußt. Oder du lügst!

Wer sagt etwas? Und was?

Ich wäre nicht gekommen, nie gekommen ... Ich schwöre es dir.

Aber das ist doch ... Charlotte konnte nicht mehr weiterreden, sie stand taumelnd auf. Mara stand auf. Sie standen sich gegenüber. Mara wischte ganz langsam, und während die Aufregung aus ihr schon zu weichen begann, das Glas vom Tisch, dann das andere, sie griff nach einer leeren Vase und warf sie, weil die

Gläser ohne Geräusch auf den Teppich gerollt waren, gegen die Wand, dann eine Kassette, aus der Muscheln und Steine mit Getöse herausflogen und über die Möbel rollten.
Charlotte suchte nach Kraft für einen großen Zorn, für einen Schrei, für Wut, für Beleidigung. Die Kraft hatte sie verlassen. Sie sah einfach dem Mädchen zu, wie es ein Stück nach dem anderen zerstörte. Die Zerstörung schien lang zu dauern wie ein Brand, eine Überschwemmung, eine Demolierung. Mara bückte sich plötzlich, hob zwei große Scherben von der Obstschale auf, hielt sie aneinander und sagte: So ein schöner Teller. Verzeih mir. Sicher hast du den Teller gern gehabt. Bitte verzeih mir.
Charlotte zählte, ohne Bedauern, ohne jede Regung, die Stücke, die in Scherben gegangen oder beschädigt worden waren. Es waren nur ganz wenige Stücke, aber sie hätte gern alles in dem Zimmer mitzählen mögen, damit sie das Ausmaß der Zerstörung genauer hätte ausdrücken können, das soviel größer war; genauso gut hätte alles in Trümmer gehen können. Denn sie hatte zugesehen, keine Hand gerührt, bei jedem Krachen, jedem Splittern stillgehalten.
Sie bückte sich und sammelte die Muscheln und Steine ein, sie schob die Scherben zusammen, ging gebückt herum, damit sie nicht aufsehen und Mara ansehen mußte; dann ließ sie wieder ein paar Stücke fallen, als hätte es keinen Sinn, hier noch einmal aufzuräumen. Sie kauerte, in dem anhaltenden Schweigen,

auf dem Boden. Ihre Gefühle, ihre Gedanken sprangen aus dem gewohnten Gleis, rasten ohne Bahn ins Freie. Sie ließ ihren Gefühlen und Gedanken freien Lauf.

Sie war frei. Nichts mehr erschien ihr unmöglich. Wieso sollte sie nicht mit einem Wesen von gleicher Beschaffenheit zu leben beginnen?

Aber jetzt hatte Mara sich neben sie gekniet, zu sprechen begonnen, sie sprach immerzu auf sie ein. Mein Geliebtes, du darfst nicht meinen, du, es tut mir so leid, ich weiß gar nicht, was in mich gefahren ist, du, sei gut zu mir, ich bin verrückt, nach dir verrückt, ich möchte, ich glaube, ich könnte ...

Charlotte dachte: mir ist dauernd unklar, wovon sie spricht. Die Sprache der Männer war doch so gewesen in solchen Stunden, daß man sich daran hatte halten können. Ich kann Mara nicht zuhören, ihren Worten ohne Muskel, diesen nichtsnutzigen kleinen Worten.

Hör zu, Mara, wenn du die Wahrheit wissen willst. Wir müssen versuchen zu sprechen, wirklich zu sprechen miteinander. Versuch es. (Gewiß will sie die Wahrheit gar nicht wissen, und dann ist's auch die Frage, wie diese Wahrheit heißen müßte über uns beide. Dafür sind noch keine Worte da.) Ich kann nicht auffassen, was du sagst. Du redest mir zu unklar. Ich kann mir nicht vorstellen, wie du denkst. In deinem Kopf muß etwas anders herum laufen.

Mein armer Kopf! Du mußt Mitleid mit ihm haben, mußt ihn streicheln, ihm sagen, was er denken soll.

Charlotte begann, Maras Kopf gehorsam zu streicheln. Dann hielt sie inne. Sie hatte das schon einmal gehört – nicht die Worte, aber den Tonfall. Sie selber hatte oft so dahingeredet, besonders in der ersten Zeit mit Franz, auch vor Milan war sie in diesen Ton verfallen, hatte die Stimme zu Rüschen gezogen; diesen Singsang voll Unverstand hatte er sich anhören müssen, angeplappert hatte sie ihn, mit verzogenem Mund, ein Schwacher den Starken, eine Hilflose, Unverständige, ihn, den Verständigen. Sie hatte die gleichen Schwachheiten ausgespielt, die Mara jetzt ihr gegenüber ausspielte, und hatte den Mann dann plötzlich im Arm gehalten, hatte Zärtlichkeiten erpreßt, wenn er an etwas anderes denken wollte, so wie sie jetzt von Mara erpreßt wurde, sie streicheln mußte, gut sein mußte, klug sein mußte.
Diesmal aber hatte sie Einblick. Es verfing nicht bei ihr. Oder doch? Es half vielleicht gar nicht, daß sie das Mädchen erkannte und durchschaute, weil sie sich plötzlich an sich selber erinnerte und erschaute. Nur viel älter kam sie sich mit einemmal vor, weil dieses Geschöpf vor ihr das Kind spielte, sich klein machte und sie größer machte für seinen Zweck. Sie fuhr Mara noch einmal zaghaft durchs Haar, hätte ihr gern etwas versprochen. Etwas Süßes, Blumen, eine Nacht oder eine Kette. Bloß, damit sie endlich Ruhe gab. Damit sie, Charlotte, endlich aufstehen und an etwas anderes denken konnte; damit dieses kleine lästige Tier verscheucht war. Sie dachte an Franz und sie

fragte sich, ob auch er manchmal so von ihr belästigt worden war und sie gern verscheucht hätte, dieses kleine Tier, damit Ruhe war.
Charlotte stand auf, weil sie bemerkte, daß die Vorhänge nicht zugezogen waren. Und doch hätte sie gern die Fenster erleuchtet gelassen, zum Einsehen offenstehen gelassen. Sie hatte nichts mehr zu scheuen. Es sollte zu gelten anfangen, was sie dachte und meinte, und nicht mehr gelten sollte, was man sie angehalten hatte zu denken und was man ihr erlaubt hatte zu leben.
Wenn sie mit Mara zu leben begänne ... Dann würde sie lieber arbeiten zum Beispiel. Obwohl sie immer gern gearbeitet hatte, hatte ihrer Arbeit der Fluch gefehlt, der Zwang, die unbedingte Notwendigkeit. Auch brauchte sie jemand um sich, neben sich, unter sich, für den sie nicht nur arbeitete, sondern der Zugang zur Welt war, für den sie den Ton angab, den Wert einer Sache bestimmte, einen Ort wählte.
Sie sah sich um im Zimmer. Die Möbel hatte Franz ausgesucht mit Ausnahme der Lampe im Schlafzimmer und ein paar Vasen, Kleinigkeiten. Es war kein Stück von ihr in dieser Wohnung. Es war gar nicht daran zu denken, daß jemals etwas mit ihr zu tun haben würde in einer Wohnung, solang sie mit einem Mann lebte. Nachdem sie von zu Hause weggegangen war, hatte sie ein Jahr lang mit einem Studenten gelebt, in einem Zimmer mit verstaubten Seidenlampen, Plüschsesseln und Wänden, die mit Plakaten und

billigen Reproduktionen moderner Malerei vollgeklebt waren. Sie hätte nie gewagt, etwas daran zu ändern; es war seine Umwelt gewesen. Jetzt lebte sie in der hellen Ordnung, die Franz gehörte, und verließe sie Franz, so ginge sie in eine andere Ordnung, in alte geschweifte Möbel oder in Bauernmöbel oder in eine Rüstungssammlung, in eine Ordnung jedenfalls, die nicht die ihre war – das würde sich nie ändern. Genau genommen wußte sie auch schon nicht mehr, was sie für sich wollte, weil da nichts mehr zu wollen war. Natürlich hatte Franz sie bei jedem Kauf gefragt: Ist dir das recht? Was meinst du? Oder lieber in blau? Und sie hatte gesagt, was sie dachte, nämlich: blau. Oder: den Tisch lieber niedriger. Aber sie konnte nur dann einen Wunsch äußern, wenn er Fragen stellte. Sie sah Mara an und lächelte. Sie stieß mit der Fußspitze gegen den Tisch. Es war eine Lästerung. Sie lästerte »unseren Tisch«.
Mara würde sie sich unterwerfen können, sie lenken und schieben können. Sie würde jemand haben, der zitterte vor ihrem Konzert, der eine warme Jacke bereit hielt, wenn sie aus dem Saal kam und schwitzte, jemand, dem es nur wichtig war, teilzunehmen an ihrem Leben, und für den sie das Maß aller Dinge war, jemand, dem es wichtiger war, ihre Wäsche in Ordnung zu halten, ihr das Bett aufzuschlagen, als einen anderen Ehrgeiz zu befriedigen – jemand vor allem, dem es wichtiger war, mit ihren Gedanken zu denken, als einen eigenen Gedanken zu haben.

Und sie meinte plötzlich zu wissen, was sie all die Jahre vermißt und heimlich gesucht hatte: das langhaarige, schwache Geschöpf, auf das man sich stützen konnte, das immer seine Schulter herhalten würde, wenn man sich trostlos oder erschöpft oder selbstherrlich fühlte, das man rufen und wegschicken konnte und um das man sich, der Gerechtigkeit halber, sorgen mußte, sich bangte und dem man zürnen konnte. Nie konnte sie Franz zürnen, nie konnte sie ihn anschreien, wie er sie anschrie manchmal. Nie bestimmte sie. Er bestimmte (oder sie beide bestimmten, hätte er wohl gesagt – aber es war doch er, der, ohne sich dessen bewußt zu sein, immer bestimmte, und sie hätte es nicht anders gewollt –). Obgleich er ihre Selbständigkeit und ihre Arbeit liebte, ihre Fortschritte ihn erfreuten, er sie tröstete, wenn sie zwischen der Arbeit und der Hausarbeit nicht zurechtkam und ihr vieles erließ, soviel man sich eben erlassen konnte in einer Gemeinschaft, wußte sie, daß er nicht geschaffen war, ihr ein Recht auf ein eigenes Unglück, eine andere Einsamkeit einzuräumen. Sie teilte sein Unglück oder heuchelte die Teilnahme; manchmal waren sie untrennbar in ihr: die Heuchelei, die Liebe, die Freundschaft. Aber es war nicht wichtig, wieviel Aufrichtigkeit in ihr war und wieviel Sucht nach Verdunkelung – wichtig war, daß nur sie dieses Problem kannte, daß es sie oft bewegt hatte, sie aber nie sich eine Lösung hatte vorstellen können.
Der Hochmut, auf ihrem eigenen Unglück, auf ihrer

eigenen Einsamkeit zu bestehen, war immer in ihr gewesen, aber erst jetzt traute er sich hervor, er blühte, wucherte, zog die Hecke über sie. Sie war unerlösbar, und keiner sollte sich anmaßen, sie zu erlösen, das Jahr Tausend zu kennen, an dem die rotblühenden Ruten, die sich ineinander verkrallt hatten, auseinanderschlugen und den Weg freigeben würden. Komm, Schlaf, kommt, tausend Jahre, damit ich geweckt werde von einer anderen Hand. Komm, daß ich erwache, wenn dies nicht mehr gilt – Mann und Frau. Wenn dies einmal zu Ende ist!

Sie betrauerte Franz wie einen Toten; er wachte oder schlief jetzt in dem Zug, der ihn heimtrug, und er wußte nicht, daß er tot war, daß alles umsonst gewesen war, die Unterwerfung, die sie selber, mehr als er, betrieben hatte, weil er gar nicht hätte wissen können, was an ihr zu unterwerfen war. Er hatte sowieso zuviel Kraft auf sie vergeudet, war immer mit soviel Rücksichtnahme auf sie beschäftigt gewesen. Während es ihr immer richtig erschienen war, daß sie mit ihm hatte leben wollen, war es ihr immer traurig vorgekommen, daß er sich mit ihr hatte belasten müssen, es ergab gar nichts für ihn; sie hätte ihm eine Frau gewünscht, die ihn umsorgt und bewundert hätte, und er wäre darum nicht weniger gewesen, nichts konnte ihn verringern – auch ihre Quälereien konnten ihn, wie es nun einmal war, nicht verringern, aber genausowenig konnten sie ihm nützen, etwas eintragen, denn sie waren von der verfassungswidrigen, heillosen Art. Er ging gutmütig darauf ein, er wußte, daß er es hätte leichter haben können, aber es machte ihm doch Freude, mit ihr zu leben: sie war ihm genauso zur Gewohnheit geworden, wie eine andere Frau es geworden wäre, und, weiser als Charlotte, hatte er längst die Ehe als einen Zustand erkannt, der stärker ist als die Individuen, die in ihn eintreten, und der darum auch ihrer beider Gemeinsamkeit stärker prägte, als sie die Ehe hätten prägen oder gar verändern können. Wie immer eine Ehe auch geführt wird – sie kann nicht willkürlich geführt werden, nicht erfinderisch, kann keine Neuerung, Änderung vertragen, weil Ehe eingehen schon heißt, in ihre Form eingehen.

Charlotte schrak auf durch einen tiefen Atemzug, den Mara tat, und sah, daß das Mädchen eingeschlafen war. Sie war jetzt allein, wachte über dem, was möglich geworden war. Sie wußte im Augenblick überhaupt nicht, warum sie je mit Männern gewesen war und warum sie einen geheiratet hatte. Es war zu absurd. Sie lachte in sich hinein und biß sich in die Hand, um sich wach zu halten. Sie mußte Nachtwache halten.

Wenn nun der alte Bund zerriß? Sie fürchtete die Folgen, die dieses Zerreißen haben mußte. Bald würde sie aufstehen, Mara wecken, mit ihr ins Schlafzimmer gehen. Sie würden die Kleider abstreifen; mühselig würde es sein, aber es gehörte dazu, so mußte begonnen sein. Ein Neubeginn würde es sein. Aber wie soll

man sich nackt machen, beim allerersten Mal? Wie soll das geschehen, wenn man sich nicht verlassen kann auf Haut und Geruch, auf eine von vieler Neugierde genährte Neugier. Wie eine Neugier herstellen zum ersten Mal, wenn noch nichts ihr vorausgegangen ist?
Sie war schon öfters, halbnackt oder in dünner Unterwäsche, vor einer Frau gestanden. Es war ihr immer peinlich gewesen, einen Augenblick lang zumindest: in der Badekabine mit einer Freundin; im Wäschegeschäft, im Modegeschäft, wenn eine Verkäuferin ihr half, Korsetts und Kleider anzuprobieren. Wie aber sollte sie vor Mara herausschlüpfen aus dem Kleid, es fallen lassen, ohne den Anfang zu versäumen. Aber vielleicht – und das erschien ihr plötzlich wunderbar – würden sie beide gar nicht verlegen sein, weil sie die gleichen Kleidungsstücke trugen. Sie würden lachen, sich mustern, jungsein, flüstern. Im Turnsaal, in den Schulen, war immer dieser Wirbel gewesen von Kleidungsstücken, dünnem Zeug in Rosa und Blau und Weiß. Gespielt hatten sie als Mädchen damit, sich gegenseitig die Wäsche an den Kopf geworfen, gelacht und um die Wette getanzt, einander die Kleider versteckt – und hätte der Himmel damals noch Verwendung für die Mädchen gehabt, so hätte er sie gewiß an die Quellen, in die Wälder, in die Grotten versetzt, und eine zum Echo erwählt, um die Erde jung zu erhalten und voll von Sagen, die alterslos waren.

Charlotte beugte sich über Mara, die jetzt, im Schlaf, keine Gefahr mehr war, küßte sie auf die Brauen, die schön geschweift und feierlich in dem fahlen Gesicht standen, küßte die Hand, die niederhing von dem Sessel, und dann, sehr heimlich, schüchtern beugte sie sich über den blassen Mund, von dem das Lippenrot im Lauf der Nacht verschwunden war.

Könnte dieses Geschlecht doch noch einmal nach einer Frucht greifen, noch einmal Zorn erregen, sich einmal noch entscheiden für seine Erde! Ein andres Erwachen, eine andere Scham erleben! Dieses Geschlecht war niemals festgelegt. Es gab Möglichkeiten. Die Frucht war nie vertan, heute nicht, heute noch nicht. Der Duft aller Früchte, die gleichwertig waren, hing in der Luft. Es konnten andre Erkenntnisse sein, die einem wurden. Sie war frei. So frei, daß sie noch einmal in Versuchung geführt werden konnte. Sie wollte eine große Versuchung und dafür einstehen und verdammt werden, wie schon einmal dafür eingestanden worden war.

Mein Gott, dachte sie, ich lebe nicht heute, nehme teil an allem, lasse mich hineinreißen in alles, was geschieht, um nicht auch eine eigene Möglichkeit ergreifen zu können. Die Zeit hängt in Fetzen an mir. Ich bin niemands Frau. Ich bin noch nicht einmal. Ich will bestimmen, wer ich bin, und ich will mir auch mein Geschöpf machen, meinen duldenden, schuldigen, schattenhaften Teilhaber. Ich will Mara nicht, weil ich ihren Mund, ihr Geschlecht – mein eigenes –

will. Nichts dergleichen. Ich will mein Geschöpf, und ich werde es mir machen. Wir haben immer von unsren Ideen gelebt, und dies ist meine Idee.
Wenn sie Mara liebte, würde alles sich ändern.
Sie würde dann ein Wesen haben, das sie in die Welt einweihen konnte. Jeden Maßstab, jedes Geheimnis würde sie allein vergeben. Immer hatte sie davon geträumt, die Welt überliefern zu können und hatte sich geduckt, wenn man sie ihr überlieferte, hatte verbissen geschwiegen dazu, wenn man ihr etwas hatte weismachen wollen, und an die Zeit gedacht, in der sie ein Mädchen gewesen war und noch gewußt hatte, wie man sich ein Herz faßt und daß man nichts zu fürchten hatte und vorangehen konnte mit einem dünnen hellen Schrei, dem auch zu folgen war.
Wenn sie Mara lieben könnte, wäre sie nicht mehr in dieser Stadt, in dem Land, bei einem Mann, in einer Sprache zu Hause, sondern bei sich – und dem Mädchen würde sie das Haus richten. Ein neues Haus. Sie mußte dann die Wahl treffen für das Haus, für die Gezeiten, für die Sprache. Sie wäre nicht mehr die Erwählte und nie mehr konnte sie in dieser Sprache gewählt werden.
Zudem war, bei allen Freuden, die ihr die Liebe zu Männern eingetragen hatte, etwas offen geblieben. Und obwohl sie jetzt, in der Stunde, da sie wachte, noch glaubte, daß sie die Männer liebe: es gab eine unbetretene Zone. Oft hatte Charlotte sich darüber gewundert, daß die Menschen, die besser als Stern,

Strauch und Stein zu wissen hatten, welche Zärtlichkeiten sie füreinander erfinden durften, so schlecht beraten waren. In früher Zeit mußten Schwan und Goldregen noch die Ahnung gehabt haben von dem größeren Spielraum, und ganz vergessen konnte in der Welt nicht sein, daß der Spielraum größer war, daß das kleine System von Zärtlichkeiten, das man ausgebildet hatte und überlieferte, nicht alles war an Möglichkeit. Als Kind hatte Charlotte alles lieben wollen und von allem geliebt sein, von dem Wasserwirbel vor einem Fels, vom heißen Sand, dem griffigen Holz, dem Habichtschrei – ein Stern war ihr unter die Haut gegangen und ein Baum, den sie umarmte, hatte sie schwindlig gemacht. Jetzt war sie längst unterrichtet in der Liebe, aber um welchen Preis! Bei den meisten Menschen schien es sowieso nur eine traurige Ergebung zu sein, daß sie sich miteinander einließen; sie hielten es wohl für notwendig, weil nichts anderes vorlag, und dann mußten sie versuchen zu glauben, daß es richtig war, schön war, daß es das war, was sie gewollt hatten. Und es fiel ihr ein, daß nur einer von allen Männern, die sie gekannt hatte, vielleicht wirklich auf Frauen angewiesen war. Sie dachte an Milan, dem sie nicht genügt hatte, dem nichts genügt hatte, eben darum, und der darum auch gewußt hatte, daß ihr nichts genügte, der sich und sie verwünscht hatte, weil ihre schon verbildeten Körper ein Hemmnis waren bei dem Aufbruch zu schon vergessenen oder noch unbekannten Zärtlichkeiten. Es war zum Greifen nah gewesen, für Augenblicke sogar dagewesen: Ekstase, Rausch, Tiefe, Auslieferung, Genuß. Danach hatte sie sich wieder geeinigt mit einem Mann auf Güte, Verliebtheit, Wohlwollen, Fürsorge, Anlehnung, Sicherheit, Schutz, Treue, allerlei Achtenswertes, das dann nicht nur im Entwurf steckenblieb, sondern sich auch leben ließ.

So war es ihr möglich geworden zu heiraten, sie brachte die Voraussetzungen mit, in den Zustand Ehe einzugehen und sich darin einzurichten, trotz gelegentlicher Auflehnungen, trotz ihrer Lust, an der Verfassung zu rütteln. Aber immer, wenn sie an der Verfassung zu rütteln versucht hatte, war ihr rasch bewußt geworden, daß sie nichts an deren Stelle zu setzen gewußt hätte, daß ihr ein Einfall fehlte und Franz mit seinem Lächeln recht behielt und mit dem Mitleid, das er dann für sie hatte. Sie lebte gerne in seiner Nachsicht. Aber sie war nicht sicher, ob auch er gerne in ihrer Nachsicht gelebt hätte und was geschehen wäre, wenn er je gemerkt hätte, daß sie auch Nachsicht für ihn hatte. Wenn er etwa gewußt hätte, daß sie im geheimen nie glauben konnte, daß es so sein müsse, wie es zwischen ihnen war und daß sie vor allem nicht zu glauben vermochte, daß er ihren Körper verstand. Ihre gute Ehe – das, was sie so nannte – gründete sich geradezu darauf, daß er von ihrem Körper nichts verstand. Dieses fremde Gebiet hatte er wohl betreten, durchstreift, aber er hatte sich bald eingerichtet, wo es ihm am bequemsten war.

An einer Bewegung des Mädchens, das im Halbschlaf seine Hand nach ihr ausstreckte, mit den Fingern ihr Knie umklammerte, ihre Kniekehle streifte, prüfte und betastete, spürte sie, daß dieses Geschöpf etwas von ihr wußte, was niemand gewußt hatte, sie selber nicht, weil sie ja auf Hinweise angewiesen war. Charlotte lehnte sich zitternd und erschrocken zurück und versteifte sich. Sie wehrte sich gegen den neuen Hinweis.

Laß mich, sagte sie unfreundlich. Laß das. Sofort.

Mara schlug die Augen auf. – Warum?

Ja, warum eigentlich? Warum hörte sie nicht auf zu denken, zu wachen und Totes zu begraben? Warum, da es schon so weit gekommen war, stand sie nicht endlich auf, hob Mara auf und ging mit ihr zu Bett?

Mara flüsterte mit einem verschwörerischen Blick: Ich will dich nur in dein Zimmer bringen, dich ins Bett bringen, sehen, wie du einschläfst. Dann gehe ich. Ich will nichts. Nur dich einschlafen sehen . . .

Sei, bitte, still. Sprich nicht. Sei still.

Du hast ja bloß Angst vor mir, vor dir, vor ihm! – Wieder der Tonfall, der alles zum Sinken brachte, der Charlotte zum Sinken brachte.

Und Mara setzte triumphierend hinzu: Wie du lügst! Wie feig du bist!

Als ob es darum ginge! Als ob es sich in der Übertretung eines Verbots erschöpfen sollte, einer kleinen Dummheit, einer zusätzlichen Neugier!

Nein, erst wenn sie alles hinter sich würfe, alles verbrennte hinter sich, konnte sie eintreten bei sich selber. Ihr Reich würde kommen, und wenn es kam, war sie nicht mehr meßbar, nicht mehr schätzbar nach fremdem Maß. In ihrem Reich galt ein neues Maß. Es konnte dann nicht mehr heißen: sie ist so und so, reizvoll, reizlos, vernünftig, unvernünftig, treu, untreu, anständig oder skrupellos, unzugänglich oder verabenteuert. Sie wußte ja, was zu sagen möglich war und in welchen Kategorien gedacht wurde, wer dieses oder jenes zu sagen fähig war und warum. Immer hatte sie diese Sprache verabscheut, jeden Stempel, der ihr aufgedrückt wurde und den sie jemand aufdrücken mußte – den Mordversuch an der Wirklichkeit. Aber wenn ihr Reich kam, dann konnte diese Sprache nicht mehr gelten, dann richtete diese Sprache sich selbst. Dann war sie ausgetreten, konnte jedes Urteil belachen, und es bedeutete nichts mehr, wofür jemand sie hielt. Die Sprache der Männer, soweit sie auf die Frauen Anwendung fand, war schon schlimm genug gewesen und bezweifelbar; die Sprache der Frauen aber war noch schlimmer, unwürdiger – davor hatte ihr schon gegraut, seit sie ihre Mutter durchschaut hatte, später ihre Schwestern, Freundinnen und die Frauen ihrer Freunde und entdeckt hatte, daß überhaupt nichts, keine Einsicht, keine Beobachtung dieser Sprache entsprach, den frivolen oder frommen Sprüchen, den geklitterten Urteilen und Ansichten oder dem geseufzten Lamento.

Charlotte sah Frauen gerne an; sie rührten sie häufig

oder sie erfreuten ihre Augen, aber sie vermied, wo es ging, Gespräche mit ihnen. Sie fühlte sich geschieden von ihnen, von ihrer Sprache, ihrem Kreuz, ihrem Herz.

Aber sie würde Mara sprechen lehren, langsam, genau und keine Trübung durch die übliche Sprache zulassen. Erziehen würde sie sie, anhalten zu etwas, das sie, früh schon, weil sie kein besseres Wort gefunden hatte, Loyalität genannt hatte – ein Fremdwort in jedem Sinn. Sie bestand auf dem fremden Wort, weil sie noch nicht auf dem fremdesten bestehen konnte. Liebe. Da keiner es sich zu übersetzen verstand.

Charlotte sah nieder auf Mara; sie bewunderte in ihr ein Unerhörtes, die ganze Hoffnung, die sie auf diese Gestalt geworfen hatte. Dieses Unerhörte mußte sie jetzt nur in jede kleinste Handlung zu tragen verstehen, in den neuen Tag, alle Tage.

Komm. Hör mir zu, sagte sie und rüttelte Mara an der Schulter. Ich muß alles über dich wissen. Wissen will ich, was du willst . . .

Mara richtete sich auf, mit einem überraschten Ausdruck. Sie hatte verstanden. War es nicht schon eine Genugtuung, daß sie verstand in diesem Augenblick! Gib, daß sie taugt! Daß sie endlich versteht!

Nichts, sagte Mara. Ich will nichts. Ich werde nicht in die Falle gehen.

Was heißt das, daß du nichts willst?

Es heißt, was es heißt. Irgend etwas muß ich ja tun. Ich bin begabt, sagen sie, dein Mann sagt es auch.

Aber das ist mir gleichgültig. Sie haben mir dieses Stipendium gegeben. Aber aus mir wird nichts. Und überhaupt: es interessiert mich nichts. – Sie machte eine kleine Pause und fragte dann: Interessiert dich denn etwas?
O ja. Vieles. – Charlotte spürte, daß sie nicht weiterreden konnte; die Schranken waren wieder gefallen. Sie hatte gestottert, nicht den Mut aufgebracht, sich zur Autorität zu machen, dieses törichte Geplapper wegzuwischen und ihren eigenen Ton wieder anzuschlagen.
Du lügst!
Hör augenblicklich auf, so mit mir zu reden, sagte Charlotte scharf.
Mara verschränkte trotzig die Arme und starrte sie unverschämt an: Die Musik, dein Beruf, das kann dich doch gar nicht interessieren. Das ist doch Einbildung. Lieben – lieben, das ist es. Lieben ist alles. – Sie schaute finster und entschlossen drein, nicht mehr unverschämt.
Charlotte murmelte verlegen: Das kommt mir nicht so wichtig vor. Von anderem wollte ich reden.
Anderes ist nicht wichtig.
Willst du behaupten, du wüßtest besser als ich, was wichtig ist?
Mara rutschte vom Sessel, rückte sich zurecht auf dem Boden zum Türkensitz und schwieg finster. Dann begann sie noch einmal, wie jemand, dem nur wenige Worte zur Verfügung stehen und der diese Worte

darum um so hartnäckiger einsetzen, ihnen zur Wirkung verhelfen muß: Mich interessiert einfach nichts. Ich denke nur an Lieben. Und ich glaube dir deswegen nicht.

Vielleicht wollte Mara wirklich nichts anderes, und sie gab wenigstens nicht vor, sich für etwas zu interessieren, sie war ehrlich genug, es zuzugeben; und vielleicht hatte sie recht und die vielen anderen, die es nicht zugaben, belogen sich selbst und täuschten sich in den Büros, den Fabriken und den Universitäten mit Fleiß darüber hinweg.

Mara schien etwas eingefallen zu sein; sie setzte schüchtern hinzu: Ich habe dich im Radio gehört, letzte Woche. In diesem Konzert. Du warst sehr gut, glaube ich.

Charlotte hob abwehrend die Achseln.

Sehr gut, sagte Mara und nickte. Vielleicht kannst du wirklich etwas und vielleicht bist du ehrgeizig ...

Charlotte erwiderte hilflos: Ich weiß es nicht. Auch so kann man es nennen ...

Nicht böse sein! – Mara richtete sich auf, schlang die Arme plötzlich um Charlottes Hals. – Du bist wunderbar. Ich will ja alles tun, alles glauben, was du willst. Nur lieb mich! Lieb mich! Aber ich werde alles hassen vor Eifersucht, die Musik, das Klavier, die Leute, alles. Und ich werde stolz sein zugleich auf dich. Aber laß mich bei dir bleiben. – Sie besann sich und ließ die Arme sinken. – Ja, tu, wie du willst. Nur schick mich nicht fort. Ich werde alles für dich tun, dich aufwecken morgens, dir den Tee bringen, die Post, ans Telefon gehen, ich kann kochen für dich, dir alle Wege abnehmen, dir alles vom Leib halten. Damit du besser tun kannst, was du willst. Nur lieb mich. Und lieb nur mich.

Charlotte packte Mara an den Handgelenken. Sie hatte sie jetzt da, wo sie sie hatte haben wollen. Sie schätzte ihre Beute ab, und die war brauchbar, war gut. Sie hatte ihr Geschöpf gefunden.

Es war Schichtwechsel, und jetzt konnte sie die Welt übernehmen, ihren Gefährten benennen, die Rechte und Pflichten festsetzen, die alten Bilder ungültig machen und das erste neue entwerfen. Denn es war ja die Welt der Bilder, die, wenn alles weggefegt war, was von den Geschlechtern abgesprochen worden war und über sie gesprochen war, noch blieb. Die Bilder blieben, wenn Gleichheit und Ungleichheit und alle Versuche einer Bestimmung ihrer Natur und ihres Rechtsverhältnisses längst leere Worte geworden waren und von neuen leeren Worten abgelöst würden. Jene Bilder, die, auch wenn die Farben schwanden und Stockflecken sich eintrugen, sich länger hielten und neue Bilder zeugten. Das Bild der Jägerin, der großen Mutter und der großen Hure, der Samariterin, des Lockvogels aus der Tiefe und der unter die Sterne Versetzten . . .

Ich bin in kein Bild hineingeboren, dachte Charlotte. Darum ist mir nach Abbruch zumute. Darum wünsche ich ein Gegenbild, und ich wünsche, es selbst zu errichten. Noch keinen Namen. Noch nicht. Erst den Sprung tun, alles überspringen, den Austritt vollziehen, wenn die Trommel sich rührt, wenn das rote Tuch am Boden schleift und keiner weiß, wie es enden wird. Das Reich erhoffen. Nicht das Reich der Männer und nicht das der Weiber.

Nicht dies, nicht jenes.

Sie konnte nichts mehr sehen; schwer und müd hingen ihre Augenlider herab. Sie sah nicht Mara und das Zimmer, in dem sie war, sondern ihr letztes geheimes Zimmer, das sie jetzt für immer abschließen mußte. In diesem Zimmer wehte es, das Lilienbanner, da waren die Wände weiß, und aufgepflanzt war dieses Banner. Tot war der Mann Franz und tot der Mann Milan, tot ein Luis, tot alle sieben, die sie über sich atmen gespürt hatte. Sie hatten ausgeatmet, die ihre Lippen gesucht hatten und in ihren Körper eingezogen waren. Tot waren sie, und alle geschenkten Blumen raschelten dürr in den gefalteten Händen; sie waren zurückgegeben. Mara würde nicht erfahren, nie erfahren dürfen, was ein Zimmer mit Toten war und unter welchem Zeichen sie getötet worden waren. In diesem Zimmer ging sie allein um, geisterte um ihre Geister. Sie liebte ihre Toten und kam sie heimlich wiedersehen. Im Gebälk knisterte es, die Zimmerdecke drohte einzustürzen im heulenden Morgenwind, der das Dach zerzauste. Den Schlüssel zu dem Zimmer, das wußte sie noch, trug sie unter dem Hemd . . . Sie träumte, aber sie schlief noch nicht.

Nie sollte Mara fragen dürfen danach, oder auch sie würde unter den Toten sein. –
Ich bin tot, sagte Mara. Ich kann nicht mehr. Tot, so tot bin ich.

– – –

Sie möchten längst, daß ich gehe, klagte Mara.
Nein, sagte Charlotte heiser. Bleib. Trink mit mir. Ich komme vor Durst um. Bleib doch.
Nein, nicht mehr, sagte Mara. Ich kann nicht mehr trinken, nicht mehr gehen, stehen. Tot bin ich.

– – –

So schicken Sie mich doch schon fort!
Charlotte stand auf; ihr gelähmter übermüdeter Körper gehorchte ihr kaum. Sie wußte nicht, wie sie bis zur Tür oder bis zu ihrem Bett kommen sollte. Sie wollte auch nicht mehr, daß Mara hier blieb. Auch nicht, daß sie eine Bedenkzeit nahmen.
Zeit ist keine Bedenkzeit. Der Morgen war in den Fenstern, mit dem ersten, noch nicht rosigen Licht. Ein erstes Geräusch war zu hören von einem vorüberfahrenden Auto, von Schritten danach – hallenden, festen Schritten, die sich entfernten.
Als sie beide im Schlafzimmer waren, wußte Charlotte, daß es zu spät war zu allem. Sie zogen ihre Kleider aus und legten sich nebeneinander – zwei schöne Schläferinnen mit weißen Achselspangen und enganliegenden weißen Unterröcken. Sie waren beide tot und hatten etwas getötet. Mit den Händen strich eine der anderen über die Schultern, die Brust.

Charlotte weinte, wandte sich um, langte nach der Weckeruhr und zog sie auf. Mara sah gleichgültig zu ihr hin. Dann stürzten sie ab in den Schlaf und in einen gewitterhaften Traum.
Der rote Rock lag verknüllt und unansehnlich vor dem Bett.

EIN WILDERMUTH

»Ein Wildermuth wählt immer die Wahrheit.« An diesen gewaltigen Satz, den er von seinem Vater, dem Lehrer Anton Wildermuth, so oft gehört hatte, dachte der Oberlandesgerichtsrat Anton Wildermuth, während er Robe und Barett ablegte. Von dem Tablett, das ihm der Gerichtsdiener Sablatschan reichte, nahm er ein Glas Wasser, aus seiner Hosentasche zog er eine kleine Blechbüchse mit Saridon hervor, schüttelte zwei Stück heraus, führte sie zum Mund und half mit ein paar Schlucken Wasser nach, die zerbissenen bitteren Tabletten hinunterzuwürgen. Seine Kopfschmerzen hatten sich jetzt bis in alle Winkel seines Hirns ausgebreitet, und sein Kopf lag wie unter einer Schmerzkrone. Wildermuth starrte vor sich hin, während dieser dröhnende Satz in ihm nachhallte, und hieß dann Sablatschan, der gehen wollte, mit einem Wink bleiben. Behutsam, als könnte ihm sonst der Kopf abfallen, ließ er sich auf einen Stuhl nieder und dachte, daß es mit dieser Wahrheit von nun an für immer zu Ende sei. Er hielt den Kopf vorgestreckt, horchend, ob nun draußen auf der Landesgerichtsstraße und in der ganzen Stadt sich dieser Stillstand auch bemerkbar mache, ja auf der ganzen Welt –

»Was habe ich gesagt, Sablatschan?«
Der alte Mann blieb stumm.
»Habe ich geschrien?«
Der alte Mann nickte.
Kurz darauf betraten einige Herren in schwarzen Talaren, schweigend, wie rächende Engel, den Raum; Wildermuth wurde von dem Schwarm zu einem Taxi hinuntergebracht und nach Hause in seine Wohnung gefahren. Er ließ sich zu Bett bringen und blieb einige Wochen, unter Beobachtung seines Hausarztes und eines Nervenarztes, liegen. In den fieberfreien Stunden las er die Zeitungen, die über den Fall Wildermuth geschrieben hatten. Er las die Berichte und Stellungnahmen, kannte sie bald auswendig, versuchte, wie ein Unbeteiligter, die Geschichte in sich zu erzeugen und dann in sich zu zerschlagen, die man für die Öffentlichkeit aus dem Vorfall gemacht hatte. Er allein wußte ja, daß keine Geschichte sich aus den Elementen fügen und kein Sinnzusammenhang sich vorzeigen ließ, sondern daß nur einmal ein sichtbarer Unfall verursacht worden war durch den Einschlag des Geistes in seinen Geist, der nicht taugte, mehr anzurichten in der Welt als eine kurze kopflose Verwirrung.

1

Ein Landarbeiter namens Josef Wildermuth hatte seinen Vater mit der Holzhacke erschlagen, das vom Vater ersparte Geld an sich genommen, in der Mordnacht vertrunken und verschenkt, und sich am darauffolgenden Tag der Polizei gestellt. Aus den Polizeiakten ging hervor, daß der Mann geständig war, und da kein Zweifel war an der Richtigkeit seiner Aussagen, nur er als Täter in Frage kam, erreichten die Akten bald den Untersuchungsrichter. Der Untersuchungsrichter Anderle, ein Schulfreund des Oberlandesgerichtsrates Wildermuth, erlebte jedoch einigen Ärger mit dem Beschuldigten, da dieser plötzlich zu leugnen anfing – genauer gesagt, auf das Ungeschickteste zu behaupten sich unterstand, daß alles, was die Polizei zu Protokoll gebracht habe, nicht stimme. Trotzdem konnte der Untersuchungsrichter nach einer weiteren Zeit die Akten schließen und weiterleiten, da der Josef Wildermuth einbekannte, seinen Vater ermordet zu haben, nicht vorsätzlich allerdings und nicht nur des Geldes wegen, sondern aus Haß; immer schon habe er seinen Vater gehaßt, als Kind schon, da dieser ihn mißhandelt habe, vom Lernen abgehalten und zum Lügen und Stehlen angehalten habe, und so stand einiges zu lesen in dem Akt über eine schwere Jugend, einen verrohten, vertierten Vater und eine früh verstorbene Mutter.

Als der Oberlandesgerichtsrat Wildermuth diesen Fall

zugewiesen bekam, wurde er, der Form halber, befragt, ob ein Verwandtschaftsverhältnis zwischen ihm und diesem Wildermuth vorliege. Er konnte das verneinen; selbst ein fernster Zusammenhang war ausgeschlossen, seine Familie stammte aus Kärnten, der Angeklagte aber war alemannischer Herkunft. Der Mord war in der Presse kaum beachtet worden, weil er zu unerheblich und gewöhnlich war, um Interesse zu wecken, und der Prozeß wurde dann nur zur Kenntnis genommen, weil ein Journalist von einem Boulevardblatt sich zu der Zeit zufällig mit dem Chef der Polizeikorrespondenz des längeren unterhalten und herausgefunden hatte, daß der Prozeß Wildermuth in den Händen des Oberlandesgerichtsrates Wildermuth lag – Richter und Angeklagter also den gleichen Namen trugen. Dieser Namensgleichheit wegen, die den Mann belustigte und neugierig machte, berichtete er in einem reißerischen, wichtigtuerischen Ton in seiner Zeitung von dem Fall, und andere Zeitungen zögerten dann auch nicht, ihre Berichterstatter zu schicken.

Der Richter war dankbar für diesen Fall, der keine Schwierigkeiten zu bieten schien, dankbar wie für eine Erholungspause, da er die letzten Male schwierige Prozesse mit politischen Hintergründen geleitet hatte. Quertreibereien von Männern der Regierung und anderen Leuten in Machtpositionen hatte er erfahren und Anfragen im Parlament erlebt, er hatte Drohbriefe erhalten aus der politischen Unterwelt, in denen ihm ein baldiger Tod prophezeit wurde, und darüber war er in einen Zustand völliger Erschöpfung geraten. In den kurzen Urlaub, den er sich hatte nehmen können, war ein Todesfall in seiner Familie gefallen, an Erholung war nicht zu denken gewesen, und am Ende, nach Hin- und Herreisen aufs Land, nach dem Begräbnis, den Erbschaftsregelungen, befand er sich womöglich in noch schlechterer Verfassung als zuvor. Der Fall Wildermuth, ein Routinefall sozusagen, doch ein Fall, der ihn an seine ersten selbständig geführten Prozesse in Wien, also an glücklichere Zeiten, erinnerte, begann ihn darum belebend zu beschäftigen in seiner Klarlinigkeit und Einfachheit, und hätte man ihn befragt, so hätte er jetzt eingestanden, daß ihn ein glanzvolles unbestechliches Auftreten in einem verwickelten monströsen Prozeß nicht mehr interessierte und daß ihn eine Welt immer mehr verdroß und anwiderte, in der nicht einfach gemordet, geraubt und geschändet wurde, sondern in der die Verbrechen immer unpersönlicher, gemeiner und sinnloser wurden. Ja, er zog eine Welt vor, in der jemand seinen Vater mit der Hacke erschlug und sich der Polizei stellte; da mußte keine Tiefenpsychologie bemüht werden, keine letzten Erkenntnisse über die dunklen Antriebe zu einem Massenmord und zu einem Kriegsverbrechen; es mußte nicht unter dem heuchlerischen Geschrei der Presse die schmutzige Wäsche einer ganzen Gesellschaftsschicht gewaschen werden, es brauchte nicht höchsten Stellen und Personen des öffentlichen Lebens mit Vorsicht oder Schärfe begegnet zu werden, kein Seiltanz war notwendig, kein politisches Fingerspitzengefühl, und da gab es einmal keine Sturzgefahr für ihn. Nur einem Menschen würde er sich gegenübersehen und seiner kleinen grausigen Tat, und er würde wieder einfach denken können und glauben dürfen an Recht und Wahrheitsfindung, an Urteil und Strafausmaß.

Während er die Akten Wildermuth studierte, hatte Anton Wildermuth aber dann zusehends Unruhe verspürt, einfach deswegen, weil er seinen Namen immer wieder lesen mußte als den eines Fremden. Er erinnerte sich daran, wie er einmal, als er noch in Graz studiert hatte, öfter in ein Haus eingeladen war, das, unter den Namensschildern mit den Klingeln neben dem Tor, ein Schild getragen hatte mit dem Namen Wildermuth. Dieses Schild hatte ihn ähnlich beunruhigt. Immer wenn er an der Wohnungstür jener unbekannten Wildermuths vorbeigegangen war, hatte er den Schritt verhalten, versucht, den Geruch aus dieser Wohnung zu riechen – einmal war es ein seifiger, dampfiger Geruch, ein andermal ein Krautgeruch gewesen. Diese beiden Gerüche stiegen ihm jetzt plötzlich wieder in die Nase, und er sah sich stillstehen in dem totenstillen Haus und mit einem Brechreiz kämpfen.

Wieder und wieder mußte er jetzt diesen Namen lesen, im Zusammenhang mit einer blutigen Hacke, einem angeschnittenen Brotlaib und einem Wetter-

mantel, einem abgerissenen Knopf vor allem, der von diesem Mantel rührte und noch eine gewisse Rolle spielen sollte – mit einem Licht, das in einer Küche gebrannt hatte, dann aber nicht mehr gebrannt hatte, mit Zeitangaben, die ausgedrückt wurden mit ›22 Uhr 30‹ und ›23 Uhr 10‹ und die nicht in die lebendige Zeit passen wollten, mit Gegenständen, von denen gesprochen wurde, als hätte die Welt nur darauf gewartet, das Märchen dieser Gegenstände zu hören, Holzhacke vom Typ soundso, Wettermantel Marke soundso. Und sein Name war hier in einem üblen Märchen, verknüpft mit Vorkommnissen, ebenso sinnlos, wie er schon einmal mit einem Krautgeruch verknüpft war, mit einem Dampfgeruch oder einer plötzlich ins Stiegenhaus ausbrechenden Radiomusik. Die Vorkommnisse, die in die Akten geschrieben waren, hatten ihn sonst nie derart bewegt. Nie jedenfalls hatte er gefragt, wie zu einem Namen ein Mord, ein zertrümmertes Auto, eine Unterschlagung, ein Ehebruch kamen. Es war ihm selbstverständlich, daß Namen davon Kunde gaben und daß Vorfälle sich mit jenen Namen zusammentaten, an denen man Angeklagte und Zeugen erkennen konnte.
Als der Prozeß begann und er den Angeklagten erblickte, immer wieder anblicken mußte, entstand ein noch viel beklemmenderes Gefühl in ihm als während der Vorstudien, ein Gefühl, gemischt aus unwillkürlicher Scham und Revolte. Die Ruhe und die kühle Gleichmütigkeit, die ihm nachgerühmt wurden, mußte

er diesmal heucheln. Einmal wußte er, nach dem Verlauf einer Stunde, nicht, was er gefragt hatte, was ihm geantwortet worden war. Am zweiten Tag, als der Prozeß nach den langweiligen Präliminarien in ein lebhafteres Stadium hätte kommen sollen, blieb er so leblos wie zuvor. Die Zeugen antworteten, als wären ihre Rollen geprobt, nirgends war Unsicherheit, Undeutlichkeit. Der Angeklagte wirkte ruhig, linkisch und stumpf – ein Bild der Aufrichtigkeit, das niemand zu schaffen machte. Nur der Richter argwöhnte, blätterte zu oft in den Papieren, legte die Hände ineinander, auseinander, hob die Hände zu oft, legte sie wieder hin, öffnete die Finger, schloß sie, umgriff mit einer zittrigen Hand die Tischkante, als suchte er Halt.

Es war vor der Mittagspause am dritten Tag, da geschah es, und die Hände des Richters kamen zur Ruhe. Mit einer kleinen bescheidenen Geste erhob sich der Angeklagte und sagte: »Aber die Wahrheit ist es nicht.« Und er fügte noch, in der größeren Stille, leiser hinzu: »Weil es eigentlich ganz anders war. Alles war doch ganz anders.«

Zur Rede gestellt, antwortete dieser Josef Wildermuth, seinen Vater habe er wohl erschlagen, aber da man ihn schon so genau befrage, meine er, daß er auch genauer antworten müsse und zugeben müsse, daß alles ganz anders gewesen sei. Der Hergang sei ihm nur in den Mund gelegt worden von der Polizei, und auch dem Untersuchungsrichter habe er ja nicht immer zu widersprechen gewagt. Zum Beispiel sei es zwischen ihm und dem Vater nicht zu einem Kampf gekommen um das Geld, und der Knopf, der abgerissene, den habe sein Vater ihm nicht im Kampf abgerissen, denn der Knopf von seinem Mantel fehle schon wochenlang, der Knopf sei von einem anderen Mantel, von dem eines der Nachbarn, der hier unter den Zeugen sei, der habe ja einen Streit mit dem Vater gehabt.

Weiter kam der Mann nicht, denn der Staatsanwalt sprang auf und holte zu einer scharfen kleinen Rede aus, in der das Wort ›Finten‹ fiel, das den Angeklagten bleich werden ließ, obwohl er oder weil er es vermutlich noch nie gehört hatte.

Am Nachmittag ging aber der Richter daran, alle Fragen neu zu stellen und diesen Wildermuth zum Reden zu bringen, der nun wieder gefügig antwortete, leise berichtete, was vorgefallen war, und ganz Neues berichtete. Bestehen blieb, von allem, was bereits Seiten und Seiten von Protokollen füllte, nicht eine brauchbare Feststellung. Weder der Hergang der Tat schien bisher richtig geschildert worden zu sein, noch war über das Motiv auch nur eine annähernd richtige Vermutung niedergeschrieben worden. Da so viele Fehler gemacht worden waren, wurde die Verhandlung zur Einholung neuer Gutachten vertagt.

Als der Prozeß fortgesetzt wurde, war ihm das Interesse der Öffentlichkeit sicher. Sachverständige waren hinzugezogen worden, darunter ein Experte von hervorragendem Ruf, ein europäischer Knopf- und Fadenspezialist, da von der Verteidigung Zweifel in die Richtigkeit der Expertise des wissenschaftlichen Polizeilaboratoriums gesetzt wurden und der Hergang der Tat restlos nur aufgeklärt werden konnte, wenn sich mit Sicherheit feststellen ließ, ob der Knopf von dem Mantel des Angeklagten stammte oder von dem Mantel des Nachbarn.

Bevor der Sachverständige jedoch aufgerufen wurde, sollte noch ein Tag hingehen; die Zeugen wurden auf das Neue hin, das sich ergeben hatte, befragt, und der Angeklagte versuchte zu sagen, wie dies und jenes erst jetzt offenbar gewordene Detail zu erklären sei und was ihn nun eigentlich zur Tat getrieben habe. Aber dieses Mal verfiel er, nachdem er doch bisher immer rechtschaffen und ohne Ausflüchte geantwortet hatte, ins Stottern oder in ein verstörtes Schweigen. Nein, er wisse nicht mehr genau, ob sein Vater ihm im Ernst gedroht habe, ihn aus dem Haus zu werfen; nein, er sei nicht sicher, ob er seinen Vater schon immer gehaßt habe, eher nicht; als Kind habe er ihn nicht gehaßt, denn oft habe ihm sein Vater Tiere geschnitzt aus Holz, zum Spielen, andrerseits natürlich – da schien ihm wieder etwas Neues einzufallen, er stierte vor sich hin, erinnern fiel ihm schwer, er hatte keine Übung darin, sich zu erinnern, das sah man dem Mann auch an.

Der amtlich bestellte Verteidiger mischte sich diesmal aber wortreich ein, obwohl er nicht zu wissen schien, wie er den Mann jetzt am besten verteidigen solle, aber er sah plötzlich eine Aufgabe für sich, spürte die größere Bewegung, die Ausweitung in dem Prozeß, die stimmungsvolle Erwartung im Saal. »Wir müssen aus dieser armen gemarterten Seele mit Geduld die Wahrheit herauslösen«, bat er das Gericht mehrmals beschwörend, beinahe zum Zusammenspiel aufrufend und nicht zum Kampf. Er war ein sehr guter und altmodischer Verteidiger, der das Gericht zugleich ungeduldig und milde stimmte, da er mit Worten operierte, die jüngere Anwälte sich geweigert hätten zu benützen und die in ihrem Mund auch lächerlich geklungen hätten: Gequälte Seele. Unglückliche, geschändete Jugend. Zartes Pflänzlein. Selbst das Wort ›Unterbewußtsein‹ bekam in seinem Mund, wenn er es zögernd verwendete, etwas Rührendes, Herzzerreißendes. Und die Wahrheit, von der er Aufhebens machte, erschien wie eine alte solide Kommode mit vielen Schubladen, die knarrten, wenn man sie herauszog, aber in denen dann auch alle ableitbaren kleineren Wahrheiten schneeweiß, brauchbar, sauber und handlich dalagen. Da lag das Herz, das der Angeklagte an seine früh dahingegangene Mutter gehängt hatte, da lag der verwirrte Sinn, der ihm nach Geld stand; da lagen die Begierden eines braven Arbeiters nach einem Glas Schnaps, nach ein wenig Menschlichkeit und Wärme; da lagen auf der anderen Seite die pünktliche und treue Pflichterfüllung, das gute Zeugnis des Arbeitgebers. Da lag schließlich auch die Holzhacke mit einem Blutfleck, die den friedlichen Bürger erschaudern und die Gesellschaft nach Schutz schreien ließ. Bedrücktes, verstehendes Schweigen entstand und verlieh dem alten Mann eine ungewohnte Beredsamkeit, und als nun gar der Sachverständige, die europäische Kapazität, in den Saal gerufen wurde, durfte er das Gefühl haben, daß diesem Prozeß Bedeutung zukam, daß auch ihm selber wieder einmal Bedeutung zukam und dieser Fall gar nicht ohne Feinheiten, Überraschungen und Vieldeutigkeiten war. Er sollte sich auch nicht irren in dem Gefühl, obwohl er sich letzten Endes doch irrte, weil die Überraschung aus einer anderen Richtung kam als der von ihm erwarteten.

Der Experte trat vor das aufmerksame Gericht, nicht ohne Vertrauen in seinen Augenblick:

»Hohes Gericht«, begann er, ein Konvolut wie eine Bittschrift vor sich hinhaltend, »der Rapport, den ich die Ehre hatte, zu überprüfen, enthält ja viele Konklusionen, achtbare Behauptungen, aber leider sehr wenige Feststellungen. Ich weiß nicht, ob Sie sich darüber im klaren sind, was, bei dem Stand der Wissenschaft, für eine zuverlässige Knopfanalyse heute alles getan werden und berücksichtigt werden muß. Für eine derartige Analyse muß man, um nur das Wichtigste zu nennen, den Glanz eines Knopfes bestimmen, die Oberflächenbeschaffenheit, den Lochabstand; man muß aber auch das Innere der Fadenlöcher fotografieren, man muß den Abstand der Löcher vom Rand messen, den Durchmesser feststellen. Das ist aber noch nicht alles. Des weiteren muß bestimmt werden: das spezifische Gewicht des Knopfes, die Dicke seines Wulstrandes . . .« Die Gesichter über den Talaren und die Gesichter der Geschworenen hatten einen undurchsichtigen Ausdruck angenommen. Der Experte blickte kurz umher und fuhr dann mit erhobener Stimme fort: »Hohes Gericht, um das Gewicht des Knopfes zu bestimmen, habe ich sowohl mit schweizerischen wie mit amerikanischen Präzisionswaagen gearbeitet!«

Ein Mann im Saal lachte erstickt auf.

Der Vorsitzende beugte sich vor und sagte lächelnd: »Herr Professor, wenn ich Sie recht verstanden habe, verlangen Sie diesem Knopf eine richtige Beichte ab, und Sie werfen den hiesigen Laboranten vor, daß sie den Knopf nicht zum Beichten gebracht haben!«

Im Saal schüttelten sich jetzt alle vor Lachen.

Der Verteidiger wurde zornig, sprang auf und sagte mit seiner zitternden Altherrenstimme: »Die Rolle des Publikums in diesem Raum ist es – zu schweigen!«

Der Vorsitzende lenkte ein, entschuldigte sich dafür, daß er das Gelächter heraufbeschworen habe, und bat den Experten, fortzufahren, der sich staunend umsah, als wäre es ihm unmöglich, den Zwischenfall und das Gelächter zu begreifen.

Später wurde der Chef des Laboratoriums vernommen, um mit dem Experten die Frage abzuklären, ob die an dem Knopf hängenden Fäden mit den Fäden am Mantel des Angeklagten identisch seien.

»Meine Herren«, rief der Experte bestürzt aus, »ich höre immerzu das Wort ›identisch‹! Man kann doch nicht sagen, diese Fäden seien identisch! In dem Wort ›identisch‹ drückt sich doch der höchste Grad von Wahrscheinlichkeit aus. Man könnte vielleicht – ja vielleicht! – sagen, daß zwei Fotos, die von einem Bild gemacht werden, identisch seien. Aber von diesen Fäden kann man es unmöglich behaupten. Versteht das denn hier niemand? Versteht mich denn niemand?!«
Der Chef des Laboratoriums holte nun einen anderen Rapport hervor, der von der Materialprüfungsanstalt gemacht worden war, und verlas die Stelle, wo von »vollkommener Übereinstimmung« der Fäden die Rede war.
»Nein, nein«, murmelte der Experte erschöpft und begehrte dann noch einmal auf: »Das heißt aber doch noch lange nicht, daß die einzelnen Fäden vom selben Stück gewesen sein müssen. Begreifen Sie doch. In Europa gibt es nur wenige Knopfzwirnfabrikanten, und die stellen ihre Ware jahrelang nach derselben Methode her. Das gilt auch für die Knöpfe. Ich weiß nicht, worauf Sie hier hinauswollen, meine Herren, aber ich sehe meine Pflicht darin, Ihnen klarzumachen, daß Sie so nicht über den Knopf, so nicht über die Fäden reden können. Auch die Wahrheit über einen Knopf ist nicht so leicht herauszubekommen, wie Sie vielleicht glauben. Dreißig Jahre lang habe ich mich damit beschäftigt, gemüht, alles über den Knopf zu erfahren, und ich sehe jetzt, daß Ihnen eine

halbe Stunde zuviel ist, sich damit ernsthaft zu beschäftigen . . .« Er wich zurück, senkte den Kopf wie vor einer Übermacht, vor der er aufgeben mußte. Diesmal lachte niemand.

Die gute Stimmung war verflogen und die sie ablösende war unerträglich. Man wechselte zu anderen Fragen über. Aber nun schien von den Belastungszeugen und den Entlastungszeugen keiner mehr eine stichhaltige und vernünftige Antwort geben zu können. Seit der Knopf vorgezeigt worden war, dies alles über den Knopf ruchbar geworden war, ließen sich alle anstecken von Unsicherheit. Als ahnte jeder, daß der Knopf etwas zu Tage gebracht hatte, womit man gemeinhin nicht rechnen mußte. Es war also schon außerordentlich schwierig, über einen Knopf etwas Richtiges zu sagen, und gelehrte Männer fürchteten, nicht alles über den Knopf zu wissen, und widmeten ihr Leben der Erforschung von Knopf und Faden. Die Zeugen mußten das Gefühl bekommen, daß sie ihre früheren Antworten leichtsinnig gegeben hatten, daß ihre Aussagen, eine Zeit, einen Gegenstand betreffend, einfach unverantwortlich waren. Die Worte stürzten wie tote Falter aus ihren Mündern. Sie konnten sich selber nicht mehr glauben.

Da alles zu zerfließen und zu zerfallen drohte, ergriff jedoch der Staatsanwalt das Wort, der sich von der Einschläferung der Wahrheit nicht anstecken ließ. Er dankte zuerst ironisch, lächelnd beinahe, für die »ebenso erstaunliche, wie überflüssige« Knopfexper-

tise, mit der man nur Zeit verloren habe, und erinnerte dann, wobei sein Lächeln verschwand, an die »unübersehbaren, einfachen, harten Tatsachen«.
Er fuhr mit seiner schneidenden Stimme, einer gut erprobten, in den Saal, gebrauchte seine Machtworte und rief die verlorene Versammlung zurück in die Wirklichkeit. Er hatte das Publikum und die Geschworenen sofort auf seiner Seite, die vor lauter Lesarten schon nicht mehr zu lesen verstanden in diesem einfachen Verbrechen. Er schrie nach der Wahrheit. Der Angeklagte nickte zustimmend. Sogar der Verteidiger nickte unwillkürlich.
Nicht, wie die Zeitungen berichteten, am Ende der Auseinandersetzung oder während des Streites über den Knopf, sondern in diesem Augenblick geschah es, daß der Oberlandesgerichtsrat Anton Wildermuth sich mühsam aus seinem Stuhl hob, mit den Händen aufstützte und schrie. Dieser Schrei bestürzte das ganze Landesgericht, wurde für Tage zum Stadtgespräch und erstarrte in allen Zeitungen zur Schlagzeile. Es war ein Schrei, der eigentlich nur darum sonderbar war, weil er nichts mit dem Prozeß zu tun hatte, nirgends hingehörte, mit niemand zu tun hatte. Einige sagen, er habe geschrien: Wenn es hier noch einmal jemand wagt, die Wahrheit zu sagen ...! Andere sagen, er habe geschrien: Schluß mit der Wahrheit, hört auf mit der Wahrheit ...! Oder: Hört auf mit der Wahrheit, hört endlich auf mit der Wahrheit ...! Diese oder jene Worte habe er dann mehr-

mals wiederholt in einer fürchterlichen Stille, habe dann seinen Stuhl weggestoßen und sei aus dem Saal gegangen. Andere sagen, er sei zusammengebrochen und habe aus dem Saal getragen werden müssen. Fest steht der Schrei.

2

Soll sich doch einer den Kopf darüber zerbrechen, warum ich des Weges komme und ihn anhalte und ihn anschreie, und soll sich doch einer fragen, wohin, auf welchem Weg mit meinen Gedanken, ich noch stürzen werde, wenn ich wieder aufstehe nach diesem Fall. Welche Augenfarbe ich habe? Welches Alter? Welche Schuhgröße? Wie ich mein Geld ausgebe? Wann ich geboren bin? Einen Augenblick lang war ich darauf verfallen, meine Kopfgröße anzugeben, aber sie wird durchschnittlich sein. Und mein Gehirn wird leicht wiegen nach meinem Tod.
Es geht mir nämlich um die Wahrheit, so wie es anderen manchmal um Gott oder den Mammon geht, um Ruhm oder um die ewige Seligkeit.
Um die Wahrheit geht es mir, schon lange, schon immer.
Bei uns zu Hause, auf dem Lande, wo mein Vater Lehrer und mein Großvater Bauer war, ging noch zur Zeit, als wir Kinder waren, eine riesige verwaschene Schrift über die ganze vordere Hauswand.

WIR HABEN HIER KEINE BLEIBENDE STATT. Mein Großvater hat die Worte aufmalen lassen, ein Wildermuth, der noch beherzter war als seine Kinder und Kindeskinder, mit einem kräftigen, unbezweifelbaren Satz regierte und sich von ihm regieren ließ. Nach seinem Tode wurde die Schrift übertüncht, die Wand geweißt. Aber weil dieser Satz über meine erste Stätte geschrieben war und die Zeit tatsächlich kurz ist, die wir hier bleiben, werde ich dafür entschuldigt sein, daß es mir nur um eines geht, und da auch die Zeit nicht ausreicht, dies eine als Beute zu erlegen, sondern nur zu jagen, zu verfolgen mit ganzer Leidenschaft, werden meine leeren Hände auch nicht zu belächeln sein oder doch nicht mehr als die leeren Hände aller.

Aller alle leeren Hände.

Mein Vater, der über dreißig Jahre Lehrer in H. war, in der Kleinstadt, an deren Bezirksgericht ich als junger Richter amtierte, ist protestantisch; ja, meine ganze Familie ist protestantisch und ist es immer gewesen, mit Ausnahme meiner Mutter, einer Katholikin, die nie zur Kirche ging. So weit ich zurückdenken kann, hat sich mein Vater, der sich um die Erziehung so vieler Kinder bekümmern mußte, nie sonderlich mit meiner Schwester und mir beschäftigt, doch hielt er gerne im Zeitungslesen oder im Heftekorrigieren inne, wenn einer von uns etwas erzählte oder die Mutter ihm von einer Unart, einem Streit oder dergleichen vermittelnd berichtete, und dann fragte er unweigerlich: Ist das wahr? Er war der Erfinder des Wortes ›wahr‹ in allen seinen Bereitschaften, mit allen seinen Verbindungs- und Verknüpfungsmöglichkeiten. ›Wahrhaftig‹, ›Wahrhaftigkeit‹, ›Wahrheit‹, ›das Wahre‹, ›wahrheitsgetreu‹, ›Wahrheitsliebe‹ und ›wahrheitsliebend‹ – diese Worte kamen von ihm, und er war der Urheber der Verwunderung, die diese Worte in mir auslösten von kleinauf. Noch ehe ich diese Worte begreifen konnte, bekamen sie eine Faszination für mich, der ich erlag. Wie andere Kinder in dem Alter sich mühen, Bausteine genau zusammenzufügen nach einem Muster, so gab ich mir die größte Mühe, das Muster von »die Wahrheit sagen« zu erfüllen, und ich ahnte, daß mein Vater damit meinte, ich solle »genau« sagen, was geschehen war. Wozu das gut sein sollte, wußte ich freilich nicht, aber ich kam, soweit das ein so kleiner Kopf erlaubte, bald so weit, immer die Wahrheit zu sagen, weniger aus Furcht vor dem Vater als aus einer düsteren Begierde heraus. »Ein aufrichtiges Kind« nannte man mich dafür. Bald genügte es mir aber nicht mehr, was meinen Vater schon zufriedenstellte, zum Beispiel, zu sagen, daß ich auf dem Heimweg von der Schule getrödelt habe oder einer Rauferei wegen zu spät zum Mittagessen gekommen sei, sondern ich fing an, die noch wahrere Wahrheit zu sagen. Denn ich verstand plötzlich auch – es mag im ersten oder zweiten Schuljahr gewesen sein – was von mir verlangt wurde, und ich begriff, daß ich gerechtfertigt war. Meine Begierde traf sich mit einem Begehren, mit einem guten und vor allen anderen ausgezeichneten Begehren, das die Erwachsenen an mich richteten. Mir stand ein leichtes, wunderbares Leben bevor. Ich durfte ja nicht nur, ich mußte unter allen Umständen die Wahrheit sagen! Wenn mein Vater also fragte, warum ich so spät aus der Schule heimgekommen sei, mußte ich sagen, daß der Lehrer, um uns zu strafen für Schwätzen und Lärmen, uns eine Viertelstunde habe nachsitzen lassen. Ich mußte sagen, daß ich außerdem noch Frau Simon auf dem Heimweg getroffen und mich deswegen noch mehr verspätet habe.

Aber nein, ich mußte sagen: Gegen Ende der Rechenstunde, wahrscheinlich fünf Minuten vorher, hat der Lehrer, weil wir unruhig gewesen sind, gesagt ...

Nein: Weil in der letzten Bank Unruhe war, weil in der letzten Bank Anderle und ich Flieger aus Papier gefaltet haben, weil wir das Papier aus den Heften gerissen haben und Flieger gefaltet haben und außerdem noch zwei Papierkugeln gemacht haben, zwei Flieger und zwei Kugeln aus dem Papier, das wir aus den Rechenheften genommen haben, aus der Mitte in den Rechenheften, wo man die Klammern lösen kann, damit der Lehrer es nicht merkt ...

Dann suchte ich noch nach dem genauen Wortlaut der Sätze, die der Lehrer gesprochen hatte, und ich erzählte haarklein, was Frau Simon mir gesagt hatte, wie sie mich dabei am Ärmel genommen habe, wie sie da plötzlich auf der Brücke vor mir gestanden sei. Aber nachdem ich alles haarklein erzählt hatte, fing ich noch einmal von vorn an, weil ich in heller Aufregung merkte, daß es noch immer nicht ganz stimmte, was ich da erzählte, und außerdem alles, was ich nannte, noch verhakt war mit einer Begebenheit vorher, einem Gegenstand, der außerhalb der genannten Gegenstände lag. Es war so schwer, etwas erschöpfend zu berichten, aber es kam nur darauf an, es zu wollen, und ich wollte ja, versuchte es weiter und brannte nach dieser Aufgabe, die so viel schöner war als die Schulaufgaben. Ich wollte die Wahrheit, und das hieß zu der Zeit noch vor allem »Wahrheit sagen«.

Eines Tages, als meine Schwester Anni und ich mit einigen Nachbarskindern einen Unfug angerichtet hatten, der die Nachbarschaft empörte, steigerte ich mich zum erstenmal in den Wahrheitsrausch, aus dem ich für Jahre nicht mehr herauskommen sollte. Schon ehe ich vor den Vater gerufen wurde, ordnete ich für mich die Begebenheit in peinlicher Reihenfolge und memorierte: Zuerst hat Edi gesagt, wir sollten Frau Simon auf dem Heimweg abpassen. Wir gingen miteinander bis an das Hauseck, um auf sie zu warten. Wir wollten sie erschrecken. Edi sagte, ich sagte, Edi sagte, zwar hat Edi zuerst gesagt, wir sollten es tun, aber ich habe schon früher daran gedacht, sie zu erschrecken mit einem Frosch, den ich gefangen hatte, in ihre Einkaufstasche tun wollte, der mir aber ausgekommen war. Als Frau Simon nicht kam, ging Anni Steine suchen, Anni und ich legten die Steine vor das

Gartentor, Edi legte seinen Stock davor, fünf große Steine, ein Stock aus dem Forst, wir legten die Steine hin, den Stock hin, damit Frau Simon stolpern sollte über die Steine oder über den Stock, dann brachte Herma noch einen Pflasterstein, Herma sagte, ich sagte, Edi sagte, ja, das haben wir gesagt, dann sagte Anni, sie wolle aber nicht, daß Frau Simon auf die Nase falle, aber ich sagte, Edi sagte . . .

Ich wußte, daß ich schon straffrei ausgehen würde, wenn ich meinem Vater diese erste eilig entworfene Fassung erzählte, aber ich bat, noch nachdenken zu dürfen, ich verbesserte die Fassung, bis sie mir vollständig und richtig in allen Einzelheiten erschien, aber nur an ihre tödliche Weitläufigkeit kann ich mich noch erinnern. Mein Vater wollte seine tiefe Befriedigung über meine Leistung nicht zeigen, aber ich fühlte seine Nachsicht, als er mich gehen hieß mit den Worten: »Mit der Wahrheit kommt man am weitesten. Bleib immer bei der Wahrheit und fürchte niemand.«

Alle Vorfälle, auch die für mich unangenehmsten, fuhr ich fort, so zu beschreiben. Meine Mutter war oft zu ungeduldig, um sich meine Beichten ganz anzuhören, oft warf sie meinem Vater einen Blick zu, den ich nicht zu deuten wußte; mein Vater aber blieb aufmerksam, er genoß diese Verhöre, nach denen ich wenig und weniger zu fürchten hatte, und ich berauschte mich auch noch an der Freude, die ich ihm damit machte. Wenn es nur die Wahrheit war, was

ich da vorbrachte an kleinen langweiligen Schulgeschichten, Bübereien, Torheiten, ersten guten und bösen Gedanken! Wenn es nur Wahrheit war, dann war alles gut! Es war etwas Herrliches um die Wahrheit in meiner Kindheit, um dieses Beschreiben, Nachsprechen, Hersagen. Ein Exerzitium wurde für mich daraus, das mich prägte, mich immer kundiger machte und mich jeden Vorfall, jedes Gefühl, jeden Gegenstand eines Schauplatzes zerlegen lehrte in seine Atome.
Erst viel später fiel mir auf, daß ich nach vielem natürlich nicht befragt worden war, über vieles nie hatte Rechenschaft ablegen müssen – daß von mir nicht über alles die Wahrheit gesagt worden war. Nie hatte mich jemand gefragt, was ich über die nicht beichtwürdigen Dinge dachte, was ich meinte und was ich glaubte. Zwischen meinem dreizehnten und achtzehnten Lebensjahr durchlebte ich eine Zeit, in der ich mich zwar weiter bis zum Exzeß im Wahrheitsagen übte, andrerseits aber frei herumging, in einer Welt, die ich mit der Familie nicht teilte, wie auf einer dunklen Hinterbühne. Auf sie zog ich mich zurück, wenn ich meinen Auftritt für die Wahrheit gehabt hatte, und dort erholte ich mich von den anstrengenden Auftritten und machte den Kraftverlust wett, den mich das Wahrheitsagen jetzt schon kostete. Alles fing mehr zu kosten an und sollte immer mehr kosten mit jedem Jahr. Atmen, Sehnen, Sagen. Auf der Hinterbühne spielten meine von niemand geahnten

Traumabenteuer, Traumdramen, Fantastereien, die bald so üppig ins Kraut schossen wie die Wahrheiten im Rampenlicht. Vorsichtig und spöttisch nannte ich diese Welt manchmal meine ›katholische‹ Welt, obgleich es mit diesem Ausdruck nichts auf sich hatte, ich nur eine Welt damit bezeichnen wollte, die sündig, farbig und reich war, ein Dschungel, in dem man lässig sein konnte und der Gewissenserforschung entzogen war. Es war für mich eine Welt, die ich mit der Welt meiner Mutter in Zusammenhang brachte, für die ich sie verantwortlich machte, diese Mutter mit den schönen langen rotblonden Haaren, die durch unser Haus ging ohne Erforschung und die nur lustig die Augenbrauen hochzog, wenn wir Kinder einmal jammerten an einem eisigen Sonntag, weil wir zur Kirche mußten, als verwunderte sie dieses Aufbegehren, sie, die doch frei war . . . Meine lässige Mutter, die, während wir in der Kirche waren, badete in einem Holzzuber, sich ihr Haar wusch und noch im Unterkleid in der Küche stand, wenn wir zurückkamen, strahlend vor Frische und vor Vergnügen über sich selbst. Anni durfte ihr dann beim Kämmen helfen, und ich wickelte mir die ausgegangenen roten Haare um die Finger und spielte den Ratgeber, wenn sie das Haar aufsteckte. Ja, meine Mutter, deren Sonntagsfreuden so aussahen, war sicher ausgeschlossen gewesen von etwas – von der Wahrheit natürlich. Sie konnte gar nicht wissen, was das war. Nur der Vater hatte mit ihr zu tun und nicht nur am

Sonntag, wenn er direkt auf sie zu sprechen kam und uns ihren Wert vor Augen hielt. Welches Ziel andere Menschen sich auch stecken mögen – das Ziel der Wildermuths, so wurde mir klar, war es noch immer gewesen, die Wahrheit zu suchen, zur Wahrheit zu stehen, die Wahrheit zu wählen. Die *Wahrheit* – das hörte sich für uns Kinder an, als könnte man sich nach ihr aufmachen wie nach China, und *suchen* – das klang, als könnte man sie, wie man in feuchten Sommern nach Pilzen sucht, in den Wäldern suchen und einen ganzen Korb voll davon heimtragen.

Unser Haus hallte wider von der Wahrheit, von diesem Wort und von anderen Worten, die dieses fürstliche wie Schleppträger umstanden. Und einen Wildermuth erziehen – das hieß, ihn zur Wahrheit erziehen. Und ein Wildermuth werden – das hieß, einer in Wahrheit werden.

Aber dann verließ ich dieses Haus und ich trennte mich von der ersten Wahrheit, wie ich mich von dem Elternhaus trennte, von den Sonntagen, den Glaubenssätzen. Ich machte die Bekanntschaft einer anderen Wahrheit, als ich zu studieren anfing, mit einer, von der die Wissenschaft sprach, einer höheren dürfte man vielleicht sagen. Anderle war mit mir nach Graz gekommen, und auf der Universität schlossen wir uns an zwei Studenten aus der Stadt an, Rossi und Hubmann, die in dem Studium der Rechte auch etwas anderes erblickten als die leichteste Art, einen Titel zu erwerben und eine der üblichen Beamtenlaufbahnen in unserem Staat einzuschlagen. Die Vorlesungen befriedigten uns nicht; die Skripten, die man zur Erleichterung erhielt und nach denen »gebüffelt« werden sollte, verwarfen wir. Uns stand der Sinn nach etwas andrem, und so verwendeten wir unsere Abende darauf, über den »Stoff« hinaus nach den Gründen für diesen Stoff zu suchen. Ein oder zwei Jahre lang erhitzten wir uns also Abend für Abend über grundlegende Probleme, Verfassung und Recht, und sie wurden uns Anlaß zu vielen wortreichen Streiten. Aber ich merkte, daß jeder von uns Neigungen hatte, mehr noch, daß etwas an uns haftete wie der Hautgeruch, wie die Art zu gehen, zu schweigen, sich im Schlaf zu drehen, und wenn Hubmann dazu neigte, etwas für eine Wahrheit zu halten, so neigte ich dazu, das Gegenteil für die Wahrheit zu halten, und uns beide brachte Rossi auf, der unsere extremen Standpunkte süffisant zerlegte, an dem maß, was er die Wirklichkeit nannte, und uns darlegte, daß die Wahrheit wieder einmal in der Mitte lag. Aber wieso sollte die Wahrheit in der Mitte liegen? Es war einfach unglaublich, die Wahrheit in die Mitte zu stoßen oder nach rechts oder nach links oder ins Leere oder in die Zeit oder außer die Zeit. Ich glaube, es ist müßig, zu erwähnen, über welche Punkte wir so in Erregung geraten konnten, denn jeder, der gezwungen oder freiwillig einmal zehn Bücher über einen Gegenstand gelesen hat, wie wir etwa über Rechtsphilosophie, wird verstehen, was ich meine. Unsere

Äußerungen waren ja wenig originell, wir hoben einfach Sätze oder Gedanken aus einem Buch heraus und sezierten sie oder koppelten sie: wir sahen einmal da eine Wahrheit und einmal dort und manchmal an einem dritten Ort. Wir balgten uns, wie junge Hunde um einen Knochen, um die Wahrheit, mit der ganzen Gelenkigkeit, Rauflust und Denkbegier junger Menschen. Wir meinten, selbst diese großen fabelhaften Gedanken zu haben, die Hegel und Ihering und Radbruch gehabt hatten, aber unsere Uneinigkeit bewies höchstens die Uneinigkeit, die schon vorlag. Wir schrien uns heiser über Relatives und Absolutes, Objektives und Subjektives. Wir spielten unsere Götter und unsere ersten Fremdworte aus wie Karten, oder wir schossen die Wahrheiten den anderen ins Tor und buchten uns einen Punkt.

In den letzten Studienjahren kamen wir auseinander. Wir hatten uns auf zu viele Prüfungen vorzubereiten, als daß wir uns noch hätten streiten können über Probleme, deren wir unendlich viele kurz aufleuchten gesehen hatten. Wir hatten Liebschaften, die uns die Abende wegnahmen, und Prüfungsängste, die uns schlaflos machten. Die Wahrheit kam darüber zu kurz, die höheren Wahrheiten erholten sich von uns, während wir, von ihnen abgelenkt, danach trachteten, ein überstürztes Ende unter überstürzte Studien zu setzen, um als brauchbare Elemente uns einordnen zu können in die Gesellschaft. Wir bekamen Boden unter die Füße, wir gingen als Konzipienten auf die

Gerichte und verloren unseren ersten Hochmut, um einen neuen dafür einzuhandeln, und wir merkten, daß man in den Kanzleien und den langen langen Korridoren des Justizpalastes nicht für Wahrheitssuche Zeit hatte. Wir lernten Schriften aufsetzen, Akten ordnen, Maschinschreiben, Vorgesetzte grüßen und uns grüßen lassen von Sekretärinnen, Praktikanten und Dienern; wir lernten mit Ausgängen, Eingängen, Heftern, Ordnern, Schränken umgehen. Wo war die Wahrheit hingeflogen und wer wollte ihr nachsetzen und sie finden?

Doch ein Wildermuth, dem alles zur Frage nach ihr wird, kann ihre Spur nie verlieren, das glaube ich doch! Und mag er auch im Getriebe sein, durchs Getriebe gehn, durch das jeder muß . . .

Wir gründeten Familien. Wir bildeten Klüngel. Wir richteten Wohnungen ein. Ich heiratete Gerda, ein Mädchen von zu Hause, aus unserer kleinen Stadt. Früher hatten wir uns nicht gekannt, aber später, als ich als junger Richter heimkam, traf ich sie oft am See, am Wochenende, wenn ich schwimmen ging. Gerda, neben der ich in dumpfem Staunen lebe . . . Ich kenne keinen Menschen, der mir nahe steht und der so wenig auf die Wahrheit gibt wie meine Frau. Viele mögen sie gern, in ihrer Familie wird sie vergöttert, meine Freunde suchen ihre Gesellschaft lieber als die meine. Sie muß einen Zauber haben. Denn alle bewundern sie, weil sie aus der geringfügigsten Begebenheit, aus dem nebensächlichsten Erlebnis eine

Geschichte machen kann. Sie unterhält sich und die anderen ununterbrochen auf Kosten der Wahrheit. Ich habe sie noch nie dabei ertappt, daß sie einen Vorfall genau berichtet hätte. Sie verwandelt alles sofort, eine Reise, einen Gang zum Milchgeschäft, ein Gespräch beim Friseur, in ein kleines Kunstgebilde. Alles, was sie erzählt, ist sinnreich oder ist verwunderlich, hat eine Pointe. Man muß unweigerlich lachen, verdutzt sein oder den Tränen nahe kommen, wenn sie etwas zum Besten gibt. Sie macht Beobachtungen, die ich nie machen könnte, sie redet und redet daher, als könnte sie nie jemand zur Rechenschaft ziehen. Sie lügt, und ich weiß nicht einmal, ob sie, von wenigen Ausnahmen abgesehen, sich darüber im klaren ist. Wenn sie ihren Paß holen gegangen ist, erzählt sie: Man saß da, vielleicht dreißig, was sage ich, vierzig Leute ... (Und ich bin sicher, das bedeutet: vier oder fünf Personen!) und ich wartete stundenlang. (Sie wartete aber, wie ich nachrechnete, eine halbe Stunde!) Wenn sie Kindheitserinnerungen auspackt, sind es einmal Wochen, die sie am Meer war, dann wieder nur acht Tage; oder sie erzählt stolz, wie sie immer nur mit Buben gespielt, immer Hosen getragen habe, aber ich kenne Fotos von ihr aus der Zeit, auf denen sie nur in Röcken zu sehen ist. Sie sagt, sie habe ganz kurz geschnittene Haare gehabt, einen ›Herrenschnitt‹ – aber ich weiß, daß sie mindestens zwei Jahre lang Zöpfe trug.

Ich habe nur einen Lebenslauf zu berichten, aber

Gerda muß deren mehrere haben, denn obwohl ich im großen und ganzen ihre Vergangenheit kenne, genug Leute kenne, die sie von kleinauf kennen, gibt es, wenn sie von sich erzählt, unendlich viele Abweichungen, ja nicht einmal Abweichungen, da keine Linie da ist, von der sie abweichen könnte, sondern einfach viele Fassungen und Interpretationen ihres Lebens. Kaum fällt ihr, wenn sie guter Laune ist und redselig wird, ein Detail ein, so nimmt ihre Lebensgeschichte eine andere Wendung. Als junges Mädchen wollte sie nur Klavier spielen, war nicht wegzubringen vom Klavier, in Musik ertrinken wollte sie, mit Musik leben; aber dann erfahre ich plötzlich, daß sie am liebsten Medizin studiert hätte, daß sie nach Afrika hatte gehen wollen, in ein Krankenhaus, um dort den Ärmsten der Armen helfen zu können, daß dies ihr einziger Wunsch war, im Kongo oder bei den Mau-Maus auf jede Gefahr hin eine Mission zu erfüllen.

Manchmal, in einer Art Aberglauben, kommt es mir vor, als wäre es jedem von uns zugedacht, genau das ertragen zu müssen, was man am wenigsten erträgt, sich mit dem Menschen ganz einlassen zu müssen, an dem man zuschanden wird mit seinem tiefsten Verlangen. Gerda, deren Zauber jeder rühmt, ist genau die Frau, von der ich sicher hätte sein können, daß ich sie nicht ertragen kann. »Ihre zauberhafte Frau . . .« wagt mir noch dieser Kaltenbrunner zu schreiben, für den sie wohl den richtigen Zauber hätte, einen, der zu seinem Zauber passen würde, dem

faulen, den ich in meinem Ingrimm und in meiner Ohnmacht mit der Wurzel ausreißen möchte.
Aber wie gut lebt Gerda, wie gut sogar neben mir, wie gut lebe ich neben ihr! Es geht ohne die Wahrheit vorzüglich, das hat mich am meisten verblüfft. Einmal, als ich dachte, daß sie sterben müsse, und sie dachte es auch, als sie die Totgeburt hatte, und als ich dachte, daß der Zauber nun abfallen und ihr Gesicht nackt werden müsse, daß nun Hoffnung für uns beide aufkomme in der Hoffnungslosigkeit, da log sie noch und machte ihre tiefsinnigen oder melancholischen, witzigen Sprüche, und sie lügt heute noch über die elendsten Stunden, die sie durchmachte, die ihren Körper schleiften bis an die äußerste Grenze. Sie weiß darüber spannend zu erzählen, ein Feuerwerk von Beobachtungen abzuschießen, unter Preisgabe all dessen, was mir darüber zu sagen wichtig erscheint, was wahr daran war, ziemlich wahr. Ich weiß, niemand würde, außer mir, auf die Idee kommen, sie einer Lüge zu zeihen. Sie hat eben, wie Herr Kaltenbrunner meint, eine ganz persönliche Art, die Welt zu sehen. Ich hasse diese persönliche Art, des Preises wegen, der dafür bezahlt wird, der Verdunkelung wegen, die die Welt dadurch erfährt. Denn die Welt ist nicht dazu da, um von Gerdas Arabesken geschmückt und verstellt zu werden, ist dunkel genug, um nicht noch von ihr verdunkelt werden zu müssen.
Mit der Wahrheitsfindung bin ich befaßt, und nicht nur von Berufs wegen bin ich mit ihr befaßt, sondern

weil ich mich mit nichts andrem befassen kann. Wenn ich die Wahrheit auch nie finden sollte . . .
Ein Wildermuth, der nicht anders kann, schon lange, für immer . . .
Einer, der weiß, daß man mit ihr am weitesten kommt . . .
Aber will ich denn noch weiter kommen mit der Wahrheit? Seit ich geschrien habe, nein, seither will ich's nicht mehr, wollt' es schon oft nicht mehr. Warum weiterkommen wollen mit der Wahrheit? Wohin? Bis nach Buxtehude, bis hinter die Dinge, hinter den Vorhang, bis in den Himmel oder nur hinter die sieben Berge . . . Diese Entfernungen möchte ich nicht zurücklegen müssen, weil mir der Glaube längst fehlt. Und ich weiß ja schon: Ich möchte meinen Geist und mein Fleisch übereinstimmen machen, ich möchte in einer unendlichen Wollust unendlich lang übereinstimmen, und ich werde, weil nichts übereinstimmt und weil ich's nicht zwingen und nicht erreichen kann, schreien.
Schreien!
Die Wahrheit habe ich gesucht über mich, aber was ergibt das schon, was ich, mich zerfleischend, im einzelnen über mich denke oder manchmal in großen Zügen trauervoll über mich denke! Was läßt sich schon anfangen mit diesen banalen Offenbarungen, die jedem zuteil werden können? Ich bin sparsam, aber manchmal großzügig, ich kenne Mitleid mit vielen Menschen, und ich kenne kein Mitleid mit manchen

Menschen. Ich habe den Verdacht, lasterhafte Anlagen zu haben, weiß aber nicht genau, welche man mit gutem Gewissen als lasterhaft bezeichnen darf, und kenne die Laster vielleicht darum nicht, weil ich keinen Gebrauch von meinen Anlagen gemacht habe, mir zuerst der Mut fehlte, dann die Zeit fehlte und es mir dann nicht mehr wichtig schien, sie entwickeln zu müssen. Ich bin ehrgeizig, aber nur unter bestimmten Voraussetzungen. Viel hätte ich darum gegeben, Rossi ausstechen zu können in der Zeit des Studiums und noch eine Weile nachher, als wir gleiche Laufbahnen einschlugen; aber es hat mich wirklich gefreut, daß Hubmann um so viel glänzender als ich abschnitt und eine Karriere machte im Justizministerium. Als Freunde betrachtete ich beide, gerne mochte ich beide, und ich weiß nicht, warum da ein Unterschied war in meinen Gefühlen. Vielleicht lag es gar nicht so sehr an mir, daß ich Rossis Erfolge beargwöhnte, sondern an ihm oder an etwas Drittem, das nicht in mir und nicht in ihm seinen Grund hatte, sondern in der Art unserer Freundschaft, die mir heute keinen Schmerz mehr verursacht. Treu bin ich und untreu, hilflos fühle ich mich oft und weiß doch mit Entschiedenheit aufzutreten. Feige bin ich und mutig und meistens habe ich beides an mir beobachtet, in vielen wechselvollen Schattierungen. Immer aber habe ich an mir nur beobachtet, daß es mir um die eine Erforschung zu tun ist, um die Wahrheit also. Aber ich beanspruche die Wahrheit nicht für

mich, sie muß nichts mit mir zu tun haben. Nur ich habe mit ihr zu tun.
Zu tun habe ich mit ihr wie der Schmied mit dem Feuer, wie der Polarforscher mit dem ewigen Eis, wie ein Kranker mit der Nacht.
Und wenn ich nichts mehr mit ihr zu tun haben kann, werde ich mich niederlegen wie nach dem Schrei und nicht mehr aufstehen und mich zutodeleben in diesem Schweigen.
Ja, was ist denn die Wahrheit über mich, über irgendeinen? Die ließe sich doch nur sagen über punktartige, allerkleinste Handlungsmomente, Gefühlsschritte, die allerkleinsten, über Tropfen um Tropfen aus dem Gedankenstrom. Dann ließe sich aber schon nicht mehr folgern, daß einer solch massive Eigenschaften hätte wie ›sparsam‹, ›gutmütig‹, ›feig‹, ›leichtsinnig‹. Alle die tausend Tausendstelsekunden von Gefallen, Angst, Begierde, Abscheu, Ruhe, Erregung, die einer durchmacht, worauf sollen die schließen lassen! Müssen sie schließen lassen? Auf eins doch nur: daß er von vielem gehabt und gelitten hat . . .
Oder die Wahrheit über die Welt, da ich selbst mir nicht aufgehe und da ich allein schon so verschiedenartig zu sehen, zu fühlen, zu begreifen vermag! Ein Tisch, ein einziger Gegenstand wie mein Schreibtisch! Nehmt ihn! Oft habe ich mich, ihn gleichgültig erkennend, an ihm niedergelassen oder ihn berührt; im Dunkeln habe ich mich an ihn getastet; ich habe ihn skizziert in einem Brief an einen Freund, da ent-

sprach er ein paar Bleistiftstrichen; ich rieche ihn manchmal, wie er nach langer Arbeit riecht; ich sehe ihn staunend an, wenn die Papiere alle weggeräumt sind und er frei vor mir steht, ein anderer – und was ist dieser massige Tisch noch alles darüber hinaus! Eine Holzmasse zum Verheizen, eine Form, die an einen bestimmten Stil erinnert, ein Gewicht hat er als Frachtgut, einen Preis hat er gehabt und wird einen anderen haben heute oder nach meinem Tod. Schon über diesen Tisch ist kein Ende abzusehen. Eine Fliege wird ihn anders sehen als ein Wellensittich, und ob Gerda den Tisch je so gesehen hat wie ich? Ich weiß es nicht, bin nur sicher, daß sie die Stelle kennt, wo ich mit der Zigarette ein Loch in die Platte gebrannt habe. Für sie ist es *mein* Tisch, der mit dem Brandloch; außerdem weiß sie noch von seinen gedrechselten Füßen, weil sie ›Staubfänger‹ sind. Mir ist das nur durch sie bewußt geworden, daß er ein Staubfänger ist, aber dafür weiß ich, was sie nicht weiß: welches Wohlbehagen er verursacht, wenn man sich mit beiden Ellbogen aufstützt, und wie ein Blick beim Nachdenken sich in seiner Maserung verfängt und wie es sich schläft auf diesem Tisch, denn ich bin ein paarmal eingeschlafen über der Arbeit, mit dem Kopf vornüberfallend auf die Tischplatte.

Da von einem einzigen Gegenstand schon soviel gilt, wieviel muß dann von der ganzen Welt gelten und berücksichtigt werden an jeder Stelle, und wieviel

muß dann für einen Menschen gelten, da er sich rührt und lebt und einen Gegenstand weit übertrifft durch Leben.
Im Fleisch habe ich die Wahrheit gesucht. Etwas wollte ich übereinstimmen machen, meinen lebendigen Körper mit einem lebendigen Körper. Eine Beichte wollte ich dem Fleisch abzwingen, seine Wahrheit sollte es sagen, da nichts mehr die Wahrheit sagen wollte, mein Geist sich nicht aussprach, die Welt sich nicht aussprach. Denn ich fühlte ja, seit früher Zeit, daß eine Begierde in ihm war, die über die Begierde nach der Frau hinausging. Ich hatte meinen Körper im Verdacht, auf eine Wahrheit aus zu sein, und ich traute ihm zu, daß er mir etwas sehr Einfaches und Wunderbares mitteilen könne. Ich schickte meinen Körper in die Fremde, zu den Frauen, ließ ihn belehren und belehrte mit ihm einen anderen Körper. Ich versuchte, mit diesem Körper ehrlich zu sein, aber das war das allerschwerste und mindestens so schwer, wie mit dem Kopf ehrlich zu sein. Jetzt, da alle Erinnerungen schon verfälscht sind an die ersten Zusammentreffen mit Frauen, da manches verworfen, manches verklärt ist, das meiste aber abgetan, was sich ebensogut zur Verklärung geeignet hätte, bleibt mir nur an unserer Ehe herumzurätseln, die so ohne Geheimnis ist, so gut, gleichförmig und vertrauensvoll verläuft. Was gibt es da zu rätseln, meint man. Und doch gibt es Momente, in denen mir unsere Gespräche und Umarmungen wie etwas Entsetzliches

vorkommen, etwas Schandbares, Unrechtmäßiges, weil ihnen etwas fehlt, ja also doch die Wahrheit. Weil wir unser System von Zärtlichkeiten haben, nicht weiter suchen, nichts darüber hinaus, weil alles tot und gestorben ist, für immer gestorben. Nicht, daß es mir an Überraschung fehlt, wenn ich Gerda an mich ziehe, weil ich ihre und meine Gesten in- und auswendig kenne – nein, die Überraschung ist da, ist ja eben dies, daß kein Blitz dazwischen fährt, daß wir nicht vom Donner gerührt werden, daß sie nicht aufschreit und ich sie nicht niederschlage, daß wir beide nicht wüten gegen diese gute glückliche Verbindung, in der unsere Körper abstumpfen, verdorren – so sehr, daß keine Untreue, keine Wunschvorstellung, keine ausschweifende Fantasie ernstlich an diesem Erstorbensein noch etwas ändern könnten. Zu unseren Körpern, zu dem, was unsere Körper unter Liebe verstanden, fällt uns beiden nichts mehr ein. Wenn ich mich umsehe bei unseren Freunden und Bekannten, beschleicht mich obendrein das Gefühl, daß wir nicht die einzigen sind, denen nichts mehr einfällt dazu und daß uns allen recht geschieht. Die wenigen vereinzelten Fälle und Anfälle von Leidenschaft werden wie zur Strafe von uns ironisch abgetan, aufgelaugt in einem bezeichnenden Schweigen oder zerstört von einem verleumderischen Geschwätz. Und mir selbst ist, als wären diese Fälle fast nur noch in Gerichtsakten zu finden; sie scheinen abgewandert zu sein in die Rubrik ›Unglücksfälle und Verbrechen‹.

Aber von der Wahrheit wollte ich reden, auf die mein Fleisch aus war, und von dem einzigen Mal, als ich mich beinahe aus den Augen verlor und beinahe an diese Wahrheit geriet, in einem Sommer vor vielen Jahren.

In jenem Sommer – ich war damals noch Richter an unserem Bezirksgericht – fuhr ich jede zweite Woche mit einem Studenten, der in seinen Semesterferien bei mir praktizierte, nach der noch kleineren Stadt K., wo wir, wegen des großen Mangels an unbescholtenen Richtern in den Jahren nach dem Krieg, nur einen Gerichtstag hielten und uns für die kleineren Fälle, Verkehrsunfälle, Jugendfürsorge und Grenzstreitigkeiten der Bauern, hinbegeben mußten. Eine Kellnerin sprach vor, ich glaube, wegen Streitigkeiten über die Vaterschaft zu einem unehelichen Kind, sie hatte Mühe, sich auszudrücken, und dann fielen wieder Sätze von solchem Freimut, solcher Derbheit, daß ich mich damals, als ich noch wenig fremde Sprachen gewohnt war, zusammennehmen mußte, um kalt, freundlich und unbeteiligt zu erscheinen. Nur in Umrissen steht das Protokoll noch vor mir, stünde längst nicht mehr da in der Erinnerung, wenn nicht das unauslöschliche Bild von Wanda noch da wäre: die aufgelösten schwarzen Haare, der feuchte sagenhafte Mund, das Haar über die Brust geworfen, das Haar hinter sich geworfen, das Haar überall im Weg, aus dem Weg, einem Körper im Weg, der jede Möglichkeit, sich auszubreiten, zu krümmen, zu bewegen, die es nur geben kann, erleben wollte; ihre Arme sind in dem Bild, die in jedem Augenblick Arme sein wollten, ihre Finger, die wirklich zehn Finger waren, und jeder einzelne davon konnte die Haut anzünden, sich verkrallen oder eine Nachricht übermitteln aus ihrem Körper, der keine Verstellung kannte in der Suche, im Kampf, in seiner bitterlichen Geschlagenheit.

Ehe ich zum Mittagessen ging, sah ich Wanda im Gang stehen, erkannte sie, nickte höflich in ihre Richtung und drehte mich dann noch einmal nach ihr um, während der Student weiterging. Sie stand einfach da, wartete auf niemand, das sah man ihr an. Sie stand in dem Gerichtsgebäude wie in einem heiligen Raum, weil hier etwas Entscheidendes für sie betrieben wurde, sie lehnte sich an die Wand und verschlang die Hände wie in einer Kirche, nicht vor Schwäche, nicht unter Tränen, sondern wie ein Mensch, der nicht bereit ist, einen für ihn so wichtigen Schauplatz gleich zu verlassen.

Am Tag zuvor war Kirchtag gewesen, und in unserem Gasthof ging am Montagabend das Tanzen noch weiter. An Schlaf würde nicht zu denken sein, und darum beschlossen wir, mitzufeiern. Man lud uns an den besten Tisch, aber da wir uns, unserer Stellung wegen, dauernd beobachtet fühlten, kam bei uns keine Stimmung, keine Ausgelassenheit auf. Ich mußte mit dem Arzt und dem Zahnarzt, dem Wirt und einem Kaufmann Wein trinken, war der ›Herr

Rat, der sich nichts vergeben durfte. Der Student tanzte schließlich, und ich blieb ausgestoßen zurück, ein immer stiller werdender Beobachter. In dieser Zeit war ich mit Gerda verlobt, meine Versetzung nach Wien stand bevor und damit auch meine Heirat. Daß nur eine Frau wie Gerda in Frage kam, stand für mich fest. Die Wahl hat auch später nie den geringsten Zweifel in mir ausgelöst. Allerdings wußte ich zu dem Zeitpunkt noch nicht, was ich seither weiß und erfolgreich in mir zum Schweigen gebracht habe: daß nicht sie und keine ihr ähnliche Frau je meinen Körper zu seiner Wahrheit bringen konnte, sondern daß es diese Kellnerin war und daß es auf der Welt noch die eine oder andere Wanda geben mag mit diesem Vermögen – ein Geschlecht von dunkelhaarigen blassen Frauen mit trübem großem Blick, kurzsichtigen Augen, fast ohne Sprache, Gefangene fast ihrer Sprachlosigkeit, zu dem ich mich bekenne und nie bekennen kann. Nicht daß es mir verboten wäre, diese Frauen zu lieben, daß ich litte unter einer Gesellschaft, die mir ein offenes Bekenntnis zu ihnen übel anmerken würde – es ist nur eine kleine, sehr erstaunte Trauer da in mir, daß ich die Wahrheit, dort, wo sie aufkommt, nicht brauchen kann. Ich hätte den Mut gehabt, mit Wanda zu leben und Gerda die Heirat auszureden, mich mit einer Frau zu belasten vor der Welt, die stumm war, mit dieser Welt nichts anzufangen gewußt hätte und von meinen Leuten nur geduldet worden wäre. Aber ich wußte ja sofort, daß es für mich überhaupt nicht in Frage kam, mit ihr zu leben, niemals mit ihr, und daß ich die Wahrheit nicht hätte ertragen können, die damals mein Fleisch überfallen und verheert hat.

Wanda saß mit einigen Männern an einem Tisch mir gegenüber. Einer hielt sie am Arm, ein anderer legte ihr die Hand auf die Schulter. Alle kannten sich, redeten durcheinander und lachten dann wieder grölend. Sie lachte selten, aber auch laut, häßlich, kurz, in einer Art, mit der ich mich nie abfinden könnte. Wie herrlich lacht Gerda. Natürlich lacht sie nicht, weil sie lachen muß, sondern sie lacht, um die anderen mit ihrem Lachen einzunehmen. Wanda lachte einfach heraus.

Um Mitternacht, als alles um mich herum schon betrunken war und ich, ohne aufzufallen, aus dem Haus und in die frische Luft gehen konnte, sah ich sie vor dem Tor stehen, und ich blieb stehen neben ihr in dem wenigen Licht, das im Wind schwankte, während auch das Haus hinter uns schwankte von der Musik, den Lachsalven, dem Singen und Stampfen. Ich sah in ihr Gesicht, wie ich sonst nie jemand ins Gesicht gesehen habe, sah sie an, als würde ich nie mehr wegschauen können, und sie sah mich an, ebenso endgültig. Wie an das Starren eines düsteren ernsten Raubvogels erinnere ich mich an ihr Starren und wie an etwas fürchterlich Feierliches, als unsere Augen nicht mehr weiter konnten und wir miteinander weggingen, ohne ein Wort, ohne uns zu berühren. Ganz langsam gingen wir, in einem Abstand, den wir uns selber eingaben vom ersten Schritt an. Ihr Rock durfte mich nicht berühren, auch im Wind nicht, sie durfte sich nicht umsehen, ich durfte nicht zurückschauen, nicht hasten, sie nicht einholen, nur gehen, hinter ihr gehen, die Straße hinunter, den Weg hinauf, in das dunkle Haus, die Treppe hinauf. Nicht fragen, nichts sagen. Als wir ihr Zimmer erreicht hatten, war ich fast bewußtlos. Ich hätte keinen Schritt mehr gehen können. Ich erkannte meinen Körper nicht wieder und begriff ihn ein einziges Mal.

Gelacht haben wir nie, geredet das Notwendigste, manchmal gelächelt, ein untergehendes Lächeln, die wenigen Male, die ich noch bei ihr war, wenn ich nach K. kam. Ernst und düster ist alles zwischen uns geblieben, verzweifelt ernst, aber wie hätte es anders meinem Begehren entsprechen können? Wie hätte eine Liebe für mich sonst Wert haben können, wenn sie sich nicht erschöpft hätte in der Suche nach Übereinstimmung. Ich habe mit diesem bleichen geduldigen Körper Wandas so übereingestimmt, so die Liebe vollzogen, daß jedes Wort sie gestört hätte und kein Wort, das sie nicht gestört hätte, zu finden war.

Gerda mit ihrer Blumensprache – wie will sie aufkommen gegen dieses Schweigen von damals! Könnte man diese Sprache bloß austilgen, ihr abgewöhnen, mit der sie mich so entfernt von sich. Liebster, ich bin so froh. Hab mich lieb. Tu deiner Geliebten nicht weh. Hast du mich auch wirklich noch lieb? Bin ich nicht deine

Frau? Schläft mein Geliebter schon? Jedes Wort in rosa Schrift, alles untadelig, nie vulgär, nie aus der Rolle fallend. Weiß Gerda, wieviel, wie wenig davon übereinstimmt mit dem, was sie sagt, und dem, was sie fühlt? Was will sie verschleiern mit ihrer Sprache, welchen Mangel wettmachen und warum will sie mich auch so reden machen? Eingerichtet hat sie uns in dieser Sprache wie in den Möbeln, die sie von zu Hause mitgebracht hat und die ihr so behaglich sind wie die Sätze: Ich liebe dich. Und: Bekomm ich denn keinen Kuß?

Fast nie streiten wir, und nie reißen wir die Notbrücke dieser Sprache ab, die wir im Anfang geschlagen haben und die sich als so dauerhaft erwiesen hat. Erst jetzt bin ich aufsässig gegen Gerda geworden, und an dem Abend letzte Woche, als sie mich nicht aufstehen ließ, geriet ich in den ersten unangenehmen Streit mit ihr. Dieser Kaltenbrunner, der vorgibt, ein Dichter zu sein, und eine ihrer Freundinnen heiraten will, hat sie wieder besucht, hat sich mit ihr ausgesprochen – worüber, weiß ich nicht. Gerda gab mir ein kleines schwarzes Buch von ihm, in dem auf der ersten Seite die ärgerliche Widmung steht: Mit Dank Ihnen, stets der Ihre, Edmund Kaltenbrunner. Nach dem Abendessen drängte mich Gerda, meine Bücher liegen zu lassen und darin zu lesen. Obwohl ich sonst schnell und leicht lese, hatte ich die größte Mühe, mit diesen nebelhaften Sätzen zurechtzukommen. Nach ein paar Seiten war ich nahe daran, einzuschlafen, aber Gerda setzte sich zu mir ans Bett und verlangte, daß ich ihr meine Eindrücke mitteile. Ich murmelte ausweichend eine Entschuldigung, spielte auf eine wiederkehrende Fiebrigkeit und Schwäche an. Mich ging ihr Dichter nichts an. »Du mußt zugeben«, sagte Gerda eifervoll, »da sind Sätze und Bilder von solcher Wahrheit! Von ungemeiner Wahrheit!« Ich war wütend und wurde boshaft, denn es war mir neu, daß es für Gerda die Wahrheit gab. Es sah ihr ähnlich, daß sie in einem Buch, in einem solchen Buch, eine Wahrheit anzutreffen meinte. Hier war ihr die Welt genug geheimnisvoll zusammengebraut, hier konnte sie zwischen Satzungeheuern die Wahrheit zum Krüppel machen. »Es ist eben eine andere Wahrheit, eine höhere Wahrheit«, rief sie aufgebracht.

Mir fielen gleich alle höheren Wahrheiten ein, denen ich schon begegnet war, höhere und höchste. Jetzt geschah mir das sogar in meinem eigenen Haus, daß jemand mit der höheren im Bund war und sich einbildete, von ihr etwas zu verstehen. Natürlich Gerda, die sich erregte und sagte, ich sei einfach unfähig, über das Buch zu urteilen. Weil ich nur mit der gemeinen und nicht mit der ungemeinen Wahrheit zu tun habe, fragte ich hinterhältig. Ja, da spreche ich wohl ein wahres Wort aus, ich, der nüchterne Jurist, der Rechthaber und Zyniker mit meiner trockenen dürren Wahrheit!

Wie wahr! Wie wahr!

Ich war erleichtert. Den Rest der Zeit bis Mitternacht stritten wir dann nur mehr um des Streitens willen, wiederholten uns, und am Ende, als ihr einfiel, daß sie mich schonen müsse, und sie das Licht auslöschte, preßte Gerda, wie immer, wenn sie zur Versöhnung bereit ist, heftig meine Hand, zog und zerrte sie hinüber auf ihre Seite und legte sie auf ihre Brust. O diese Zärtlichkeit dann und das Geflüster!
Ich bin dieser Spiele und dieser Sprachen müde.
Hoch oben habe ich die Wahrheit gesucht, zuallerhöchst, in den großen gewaltigen Worten, von denen es heißt, daß sie geradewegs von Gott kommen oder von einigen, die ihm ihr Ohr geliehen haben, aber der großen Worte müssen zu viele und zu widersprüchliche sein, weil einem das große Wort vor lauter verschiedenen großen Worten nicht auffällt. Welches ist es wohl, an das man sich zu halten hätte? An viele große Worte habe ich mich zu halten versucht, an alle gleichzeitig und an jedes einzeln, und bin doch abgestürzt und habe mich zerschunden wieder aufgerichtet, geraucht, gegessen, geschlafen, bin wieder an die Arbeit gegangen, um ein Wort weniger, zu den paar Folianten, in denen für mich die Wahrheit nun zu stehen hatte für den täglichen Gebrauch.
Ist die Wahrheit da für den Gebrauch? Und wenn sie für den Gebrauch da ist, ist sie dann die Richtigkeit, die Genauigkeit? Welchen Zweck hätte sie dann? Ist es schon wahr, zu sagen, daß wir den Zug um 10 Uhr vormittags genommen haben, wenn wir ihn tatsäch-

lich genommen haben? Gewiß. Aber was heißt das! Es heißt doch nichts weiter, als daß, was wir gesagt haben, übereinstimmt mit dem, was wir getan haben. Es wäre eine Lüge zu sagen: wir sind erst um 10 Uhr abends gefahren. Wenn wir doch morgens gefahren sind. Wenn es nicht übereinstimmt, ist da eine Lüge. Warum ist die Lüge nicht gut? Sie kann Folgen haben (aber kann die Wahrheit keine haben?), und ich bringe durch sie Verwirrung in die Welt (aber kann nicht die Wahrheit auch Verwirrung anrichten?), und ich täusche vielleicht jemand, gut.

Was ist so anders, wenn wir die Wahrheit sagen? Ich bin um 10 Uhr morgens gefahren. Da habt ihr die Wahrheit! Ein Vorfall bedarf ihrer, eine Tatsache bedarf meines Wahr-Sagens. Und die Tatsachen bleiben doch, was sie sind.

Aber warum müssen wir die Wahrheit sagen, noch einmal, meine Lieben? Warum müssen wir eigentlich diese verdammte Wahrheit wählen? Damit wir nicht in die Lüge geraten, denn die Lügen sind Menschenwerk und die Wahrheit ist nur zur Hälfte Menschenwerk, denn es muß ihr auf der anderen Seite etwas entsprechen, dort, wo die Tatsachen sind. Zuerst muß etwas da sein, damit eine Wahrheit sein kann. Allein kann sie nicht sein.

Was ist eine höhere Wahrheit, meine Lieben? Wo gibt es wohl eine höhere Wahrheit, wenn da kein höherer Vorgang ist! Meine Lieben, es ist etwas Fürchterliches um die Wahrheit, weil sie auf so wenig hinweist, nur auf sehr Gewöhnliches, und nichts hergibt, nur das Allergewöhnlichste. Ich habe in all den Jahren von ihr nichts herausbekommen als dies Feststellen, dieses Beichten, das erleichternde Beichten von Tatsachen. Mehr war wirklich nicht von ihr zu haben. Über Menschen habe ich die Wahrheit suchen müssen, über so viele, die vor dem Gesetz schuldig waren und andere, die vor dem Gesetz unschuldig waren – aber was heißt das schon! Denn wie kann das Gesetz in der Wahrheit sein . . .

Warum? Warum? haben wir den Mörder gefragt, aber er konnte nur sagen, daß es so war und wie es war. Nur mit der Tat kam die Wahrheit blutig daher, mit der Axt, mit dem Messer, mit der Schußwaffe. Mit tausend Kleinigkeiten kam sie daher. Aber auf die Frage »Warum« kam sie nicht dahergeschossen. Da hat ein ganzes erfahrenes Gericht sich zu deuteln bemüht, damit da eine Wahrheit daherkommt. Aber dieses Weges kommt einfach nichts.

(O warum habe ich etwas getan und etwas anderes nicht? Warum war alles so furchtbar und so schön. Da kommt mir keine Wahrheit daher, ich mag nichts sagen, vermag nichts zu sagen und sage höchstens, um euch zufriedenzustellen: ich mußte es tun, es war mir zumute danach, ich empfand es so . . .)

Meine Lieben, ich bin gar nicht so krank, wie die Ärzte meinen und schon gar nicht schonungsbedürftig. Ich brauche die Schonung nicht mehr. Es hat da ein Mann dreißig Jahre lang über den Knopf nachge-

dacht und alles, was zum Knopf gehört, und da werde ich wohl meine Weile noch über die Wahrheit nachdenken dürfen. Ich lade euch ein, meine Lieben, darüber einmal nachzudenken! Was wollt ihr denn mit der Wahrheit, denn sicher geht es euch, den Anständigen unter euch, auch um die Wahrheit. Etwas kaufen wollt ihr damit sicher nicht. In den Himmel kommen? Dafür, daß ihr euch nicht verplappert und nicht 10 Uhr abends sagt, wo ihr 10 Uhr morgens sagen müßt? Nur so weiter. Aber ob man dafür im Himmel Sinn haben wird?
(Aber 10 Uhr sagen ist schon gefährlich, denn es gibt natürlich 10 Uhr gar nicht, das wißt ihr doch wohl, die Rechnung ist nur angenommen, dahinter steht nichts, aber beruhigt euch meinetwegen beim Uhrenvergleichen und der Normalzeit!)
Ah, und doch, welch eine tiefe Befriedigung ist es, Übereinstimmung zu erlangen, die Entsprechung herzustellen. Sagen: Es regnet – wenn es regnet. Sagen: Ich liebe – wenn man liebt.
Aber das war schon wieder gefährlich, da fängt es schon wieder an, dunkel zu werden, denn wie könnt ihr denn behaupten: Ich liebe. Liebt ihr? Wie stellt ihr das fest? Habt ihr höheren Blutdruck? Fühlt ihr euch erhoben, verwirrt? Was ist denn mit euch los? Ihr meint also, daß ihr liebt. Meint, meint. Und was meint ihr nicht noch alles? Es ist euch so. Also gut, wenn es euch so ist als ob, wenn ihr meint, den einen und anderen Grund wohl angeben zu können ...

Gebt sie nur an, eure schmeichelhaften tiefinneren Gründe. Glaubt man oder glaubt man euch nicht? Beweisen läßt sich also nichts, aber da ist vielleicht etwas, was euch zu Hilfe kommt, die ›innere‹ Wahrheit. Meinethalben also auch noch eine innere Wahrheit. Nur zu. Wahrheit um Wahrheit.
Nach der inneren Wahrheit habe ich gesucht. Nach dem bunten Fliegenpilz im tiefen Wald.
Aber nochmals, meine Lieben: welche Befriedigung ist es doch seit langem schon, die Nachricht zu hören: der Präsident hat sich mit dem Präsidenten getroffen und folgende Erklärung abgegeben. Wortlaut. Natürlich möchten wir, daß dem, was wir da erfahren, etwas entspricht, denn unsere Interessen sind derart, daß wir immer etwas profitieren möchten für unser Verhalten – und erst recht die Wirtschaft und die Industrie und die politischen Tugendwächter müssen profitieren können davon. Wenn wir nun falsch spekulieren, falsche Hoffnungen oder Verzweiflungen daran knüpfen, wenn nun die großen Bomben gar nicht in den Depots liegen, wenn man uns da zum Narren hält . . . Das ist ja nicht auszudenken!
Aber laßt uns lieber harmlos sein und vom ersten April reden. Als wir noch Kinder waren, sind wir am ersten April in aller Morgenfrüh zu den Eltern ins Zimmer gerannt und haben geschrien: »Kommt schauen! Die Kirschen sind reif!« Das sollte ein Scherz sein, aber ihr begreift wohl, daß das kein besonders guter Scherz ist. Der viel bessere Scherz wäre es, je-

mand ins Gesicht zu sagen: Ich möchte Sie ohrfeigen. Oder: Ich habe Sie schon immer für einen Schurken gehalten. Das ist aber schon annähernd die Wahrheit, zu der die großen Scherze führen. So habe ich es auch schon versucht manchmal, bloß um die Wahrheit zu sagen, aber es war mir nicht wohl dabei, und ich war dann auch nicht näher bei der Wahrheit, nach der ich mich aufmachen wollte.

Ich empfehle mich. Ich bin es, der geschrien hat.

Ich konnte plötzlich über einen Knopf nicht hinwegkommen und nicht über einen Mann, der auch ein Wildermuth ist und ein Recht darauf hätte, daß nicht nur die Wahrheit ans Licht kommt, die wir brauchen können. Er hat ja gesagt: ich habe es getan, und er geht ins Zuchthaus dafür für fünfundzwanzig Jahre. Ich kann mich nicht abfinden damit, daß die eine Wahrheit genügt, die ans Licht kommen kann, und daß die andere Wahrheit nicht daherkommt, nicht angeschossen kommt, nicht aufzuckt wie ein Blitz. Daß wir von der brauchbaren Wahrheit den brauchbarsten Zipfel benutzen, um jemand die Schlinge um den Hals zu legen, weil er gesagt hat: Ja, es war um 23 Uhr 30. Oder weil er vergessen hat zu sagen: Es war um 10 Uhr morgens.

Der Wahrheit gehe ich nach. Aber je weiter ich ihr nachgehe, desto weiter ist sie schon wieder, irrlichternd zu jeder Zeit, an jedem Ort, über jedem Gegenstand. Als wäre sie nur greifbar, als hätte sie nur Festigkeit, wenn man sich nicht rührt, nicht viel fragt,

sich gut sein läßt mit dem Gröbsten. Auf mittlere Temperaturen muß sie eingestellt sein, auf den mittleren Blick, auf das mittlere Wort. Da ergibt sie sich, ein fortgesetztes billiges Übereinstimmen von Gegenstand und Wort, Gefühl und Wort, Tat und Wort. Du wohlerzogenes Wort, das angehalten wird, sich dieser stummen Welt der Knöpfe und der Herzen barmherzig anzunehmen! Behäbiges, stumpfes Wort zum Übereinstimmen für jeden Gebrauch.
Und darüber hinaus, da gibt es doch nur lauter Meinungen, schneidige Behauptungen, Meinungen über Meinungen und eine Meinung über die Wahrheit, die schlimmer ist als die Meinungen über alle Wahrheiten, für die du an die Wand gestellt werden kannst zu mancher Zeit und auf den Scheiterhaufen kommst, denn es ist schon etwas Furchtbares um die Meinung, wieviel mehr um die Wahrheit –
Und auch dies ist schlimm,
diese hohe Meinung, die ich von der Wahrheit hatte
und daß ich jetzt keine mehr von ihr habe
seit sie für mich zu Ende ist –
Nur eine Delle hat sie in meinem weichen kalt und heißen Gehirn gelassen, das sich auf mittlere Temperaturen so schlecht versteht. Wer hat bloß in meinem Gehirn genächtigt? Wer hat mit meiner Zunge gesprochen? Wer hat geschrien aus mir?
Erzählt mir noch einmal das Märchen von der schneeweißen Dame, die hinter den sieben Bergen wohnt, ich bitte euch!

Ich will ja meine Robe und mein Barett ablegen, mich hinhocken an jede Stelle der Welt, mich hinlegen auf Gras und Asphalt und die Welt abhören, abtasten, abklopfen, aufwühlen, mich in sie verbeißen und mit ihr übereinstimmen dann, unendlich lang und ganz –
Bis mir die Wahrheit wird über das Gras und den Regen und über uns:
Ein stummes Innewerden, zum Schreien nötigend und zum Aufschrei über alle Wahrheiten.
Eine Wahrheit, von der keiner träumt, die keiner will.

UNDINE GEHT

Ihr Menschen! Ihr Ungeheuer!

Ihr Ungeheuer mit Namen Hans! Mit diesem Namen, den ich nie vergessen kann.

Immer wenn ich durch die Lichtung kam und die Zweige sich öffneten, wenn die Ruten mir das Wasser von den Armen schlugen, die Blätter mir die Tropfen von den Haaren leckten, traf ich auf einen, der Hans hieß.

Ja, diese Logik habe ich gelernt, daß einer Hans heißen muß, daß ihr alle so heißt, einer wie der andere, aber doch nur einer. Immer einer nur ist es, der diesen Namen trägt, den ich nicht vergessen kann, und wenn ich euch auch alle vergesse, ganz und gar vergesse, wie ich euch ganz geliebt habe. Und wenn eure Küsse und euer Samen von den vielen großen Wassern – Regen, Flüssen, Meeren – längst abgewaschen und fortgeschwemmt sind, dann ist doch der Name

noch da, der sich fortpflanzt unter Wasser, weil ich nicht aufhören kann, ihn zu rufen, Hans, Hans . . .
Ihr Monstren mit den festen und unruhigen Händen, mit den kurzen blassen Nägeln, den zerschürften Nägeln mit schwarzen Rändern, den weißen Manschetten um die Handgelenke, den ausgefransten Pullovern, den uniformen grauen Anzügen, den groben Lederjacken und den losen Sommerhemden! Aber laßt mich genau sein, ihr Ungeheuer, und euch jetzt einmal verächtlich machen, denn ich werde nicht wiederkommen, euren Winken nicht mehr folgen, keiner Einladung zu einem Glas Wein, zu einer Reise, zu einem Theaterbesuch. Ich werde nie wiederkommen, nie wieder Ja sagen und Du und Ja. All diese Worte wird es nicht mehr geben, und ich sage euch vielleicht, warum. Denn ihr kennt doch die Fragen, und sie beginnen alle mit »Warum?« Es gibt keine Fragen in meinem Leben. Ich liebe das Wasser, seine dichte Durchsichtigkeit, das Grün im Wasser und die sprachlosen Geschöpfe (und so sprachlos bin auch ich bald!), mein Haar unter ihnen, in ihm, dem gerechten Wasser, dem gleichgültigen Spiegel, der es mir verbietet, euch anders zu sehen. Die nasse Grenze zwischen mir und mir . . .

Ich habe keine Kinder von euch, weil ich keine Fragen gekannt habe, keine Forderung, keine Vorsicht, Absicht, keine Zukunft und nicht wußte, wie man Platz nimmt in einem anderen Leben. Ich habe keinen Unterhalt gebraucht, keine Beteuerung und Versicherung, nur Luft, Nachtluft, Küstenluft, Grenzluft, um immer wieder Atem holen zu können für neue Worte, neue Küsse, für ein unaufhörliches Geständnis: Ja. Ja. Wenn das Geständnis abgelegt war, war ich verurteilt zu lieben; wenn ich eines Tages freikam aus der Liebe, mußte ich zurück ins Wasser gehen, in dieses Element, in dem niemand sich ein Nest baut, sich ein Dach aufzieht über Balken, sich bedeckt mit einer Plane. Nirgendwo sein, nirgendwo bleiben. Tauchen, ruhen, sich ohne Aufwand von Kraft bewegen – und eines Tages sich besinnen, wieder auftauchen, durch eine Lichtung gehen, *ihn* sehen und »Hans« sagen. Mit dem Anfang beginnen.

»Guten Abend.«

»Guten Abend.«

»Wie weit ist es zu dir?«

»Weit ist es, weit.«

»Und weit ist es zu mir.«

Einen Fehler immer wiederholen, den einen machen, mit dem man ausgezeichnet ist. Und was hilft's dann, mit allen Wassern gewaschen zu sein, mit den Wassern der Donau und des Rheins, mit denen des Tiber und des Nils, den hellen Wassern der Eismeere, den tintigen Wassern der Hochsee und der zaubrischen Tümpel? Die heftigen Menschenfrauen schärfen ihre

Zungen und blitzen mit den Augen, die sanften Menschenfrauen lassen still ein paar Tränen laufen, die tun auch ihr Werk. Aber die Männer schweigen dazu. Fahren ihren Frauen, ihren Kindern treulich übers Haar, schlagen die Zeitung auf, sehen die Rechnungen durch oder drehen das Radio laut auf und hören doch darüber den Muschelton, die Windfanfare, und dann noch einmal, später, wenn es dunkel ist in den Häusern, erheben sie sich heimlich, öffnen die Tür, lauschen den Gang hinunter, in den Garten, die Alleen hinunter, und nun hören sie es ganz deutlich: Den Schmerzton, den Ruf von weither, die geisterhafte Musik. Komm! Komm! Nur einmal komm!

Ihr Ungeheuer mit euren Frauen!
Hast du nicht gesagt: Es ist die Hölle, und warum ich bei ihr bleibe, das wird keiner verstehen. Hast du nicht gesagt: Meine Frau, ja, sie ist ein wunderbarer Mensch, ja, sie braucht mich, wüßte nicht, wie ohne mich leben –? Hast du's nicht gesagt! Und hast du nicht gelacht und im Übermut gesagt: Niemals schwer nehmen, nie dergleichen schwer nehmen. Hast du nicht gesagt: So soll es immer sein, und das andere soll nicht sein, ist ohne Gültigkeit! Ihr Ungeheuer mit euren Redensarten, die ihr die Redensarten der Frauen sucht, damit euch nichts fehlt, damit die Welt rund ist. Die ihr die Frauen zu euren Geliebten und Frauen macht, Eintagsfrauen, Wochenendfrauen, Le-

benslangfrauen und euch zu ihren Männern machen laßt. (Das ist vielleicht ein Erwachen wert!) Ihr mit eurer Eifersucht auf eure Frauen, mit eurer hochmütigen Nachsicht und eurer Tyrannei, eurem Schutzsuchen bei euren Frauen, ihr mit eurem Wirtschaftsgeld und euren gemeinsamen Gutenachtgesprächen, diesen Stärkungen, dem Rechtbehalten gegen draußen, ihr mit euren hilflos gekonnten, hilflos zerstreuten Umarmungen. Das hat mich zum Staunen gebracht, daß ihr euren Frauen Geld gebt zum Einkaufen und für die Kleider und für die Sommerreise, da ladet ihr sie ein (ladet sie ein, zahlt, es versteht sich). Ihr kauft und laßt euch kaufen. Über euch muß ich lachen und staunen, Hans, Hans, über euch kleine Studenten und brave Arbeiter, die ihr euch Frauen nehmt zum Mitarbeiten, da arbeitet ihr beide, jeder wird klüger an einer anderen Fakultät, jeder kommt voran in einer anderen Fabrik, da strengt ihr euch an, legt das Geld zusammen und spannt euch vor die Zukunft. Ja, dazu nehmt ihr euch die Frauen auch, damit ihr die Zukunft erhärtet, damit sie Kinder kriegen, da werdet ihr mild, wenn sie furchtsam und glücklich herumgehen mit den Kindern in ihrem Leib. Oder ihr verbietet euren Frauen, Kinder zu haben, wollt ungestört sein und hastet ins Alter mit eurer gesparten Jugend. O das wäre ein großes Erwachen wert! Ihr Betrüger und ihr Betrogenen. Versucht das nicht mit mir. Mit mir nicht!

Ihr mit euren Musen und Tragtieren und euren gelehrten, verständigen Gefährtinnen, die ihr zum Reden zulaßt ... Mein Gelächter hat lang die Wasser bewegt, ein gurgelndes Gelächter, das ihr manchmal nachgeahmt habt mit Schrecken in der Nacht. Denn gewußt habt ihr immer, daß es zum Lachen ist und zum Erschrecken und daß ihr euch genug seid und nie einverstanden wart. Darum ist es besser, nicht aufzustehen in der Nacht, nicht den Gang hinunterzugehen, nicht zu lauschen im Hof, nicht im Garten, denn es wäre nichts als das Eingeständnis, daß man noch mehr als durch alles andere verführbar ist durch einen Schmerzton, den Klang, die Lockung und ihn ersehnt, den großen Verrat. Nie wart ihr mit euch einverstanden. Nie mit euren Häusern, all dem Festgelegten. Über jeden Ziegel, der fortflog, über jeden Zusammenbruch, der sich ankündigte, wart ihr froh insgeheim. Gern habt ihr gespielt mit dem Gedanken an Fiasko, an Flucht, an Schande, an die Einsamkeit, die euch erlöst hätten von allem Bestehenden. Zu gern habt ihr in Gedanken damit gespielt. Wenn ich kam, wenn ein Windhauch mich ankündigte, dann sprangt ihr auf und wußtet, daß die Stunde nah war, die Schande, die Ausstoßung, das Verderben, das Unverständliche. Ruf zum Ende. Zum Ende. Ihr Ungeheuer, dafür habe ich euch geliebt, daß ihr wußtet, was der Ruf bedeutet, daß ihr euch rufen ließt, daß ihr nie einverstanden wart mit euch selber. Und ich, wann war ich je einverstanden? Wenn ihr allein wart, ganz allein, und wenn eure Gedanken nichts Nützliches dachten, nichts Brauchbares, wenn die Lampe das Zimmer versorgte, die Lichtung entstand, feucht und rauchig der Raum war, wenn ihr so dastandet, verloren, für immer verloren, aus Einsicht verloren, dann war es Zeit für mich. Ich konnte eintreten mit dem Blick, der auffordert: Denk! Sei! Sprich es aus! – Ich habe euch nie verstanden, während ihr euch von jedem Dritten verstanden wußtet. Ich habe gesagt: Ich verstehe dich nicht, verstehe nicht, kann nicht verstehen! Das währte eine herrliche und große Weile lang, daß ihr nicht verstanden wurdet und selbst nicht verstandet, nicht warum dies und das, warum Grenzen und Politik und Zeitungen und Banken und Börse und Handel und dies immerfort.

Denn ich habe die feine Politik verstanden, eure Ideen, eure Gesinnungen, Meinungen, die habe ich sehr wohl verstanden und noch etwas mehr. Eben darum verstand ich nicht. Ich habe die Konferenzen so vollkommen verstanden, eure Drohungen, Beweisführungen, Verschanzungen, daß sie nicht mehr zu verstehen waren. Und das war es ja, was euch bewegte, die Unverständlichkeit all dessen. Denn das war eure wirkliche große verborgene Idee von der Welt, und ich habe eure große Idee hervorgezaubert aus euch, eure unpraktische Idee, in der Zeit und Tod erschienen und flammten, alles niederbrannten, die Ordnung, von Verbrechen bemäntelt, die Nacht, zum Schlaf mißbraucht. Eure Frauen, krank von eurer Gegenwart, eure Kinder, von euch zur Zukunft verdammt, die haben euch nicht den Tod gelehrt, sondern nur beigebracht kleinweise. Aber ich habe euch mit einem Blick gelehrt, wenn alles vollkommen, hell und rasend war – ich habe euch gesagt: Es ist der Tod darin. Und: Es ist die Zeit daran. Und zugleich: Geh Tod! Und: Steh still, Zeit! Das habe ich euch gesagt. Und du hast geredet, mein Geliebter, mit einer verlangsamten Stimme, vollkommen wahr und gerettet, von allem dazwischen frei, hast deinen traurigen Geist hervorgekehrt, den traurigen, großen, der wie der Geist aller Männer ist und von der Art, die zu keinem Gebrauch bestimmt ist. Weil ich zu keinem Gebrauch bestimmt bin und ihr euch nicht zu einem Gebrauch bestimmt wußtet, war alles gut zwischen uns. Wir liebten einander. Wir waren vom gleichen Geist.

Ich habe einen Mann gekannt, der hieß Hans, und er war anders als alle anderen. Noch einen kannte ich, der war auch anders als alle anderen. Dann einen, der war ganz anders als alle anderen und er hieß Hans, ich liebte ihn. In der Lichtung traf ich ihn, und wir gingen so fort, ohne Richtung, im Donauland war es, er fuhr mit mir Riesenrad, im Schwarzwald war es, unter Platanen auf den großen Boulevards, er trank mit mir Pernod. Ich liebte ihn. Wir standen auf einem Nordbahnhof, und der Zug ging vor Mitternacht. Ich winkte nicht; ich machte mit der Hand ein Zeichen für Ende. Für das Ende, das kein Ende findet. Es war nie zu Ende. Man soll ruhig das Zeichen machen. Es ist kein trauriges Zeichen, es umflort die Bahnhöfe und Fernstraßen nicht, weniger als das täuschende Winken, mit dem so viel zu Ende geht. Geh, Tod, und steh still, Zeit. Keinen Zauber nutzen, keine Tränen, kein Händeverschlingen, keine Schwüre, Bitten. Nichts von alledem. Das Gebot ist: Sich verlassen, daß Augen den Augen genügen, daß ein Grün genügt, daß das Leichteste genügt. So dem Gesetz gehorchen und keinem Gefühl. So der Einsamkeit gehorchen. Einsamkeit, in die mir keiner folgt.

Verstehst du es wohl? Deine Einsamkeit werde ich nie teilen, weil da die meine ist, von länger her, noch lange hin. Ich bin nicht gemacht, um eure Sorgen zu teilen. Diese Sorgen nicht! Wie könnte ich sie je anerkennen, ohne mein Gesetz zu verraten? Wie könnte ich je an die Wichtigkeit eurer Verstrickungen glauben? Wie euch glauben, solange ich euch wirklich glaube, ganz und gar glaube, daß ihr mehr seid als eure schwachen, eitlen Äußerungen, eure schäbigen Handlungen, eure törichten Verdächtigungen. Ich habe immer geglaubt, daß ihr mehr seid, Ritter, Abgott, von einer Seele nicht weit, der allerköniglichsten Namen würdig. Wenn dir nichts mehr einfiel zu deinem Leben, dann hast du ganz wahr geredet, aber auch nur dann. Dann sind alle Wasser über die Ufer getreten, die Flüsse haben sich erhoben, die Seerosen sind gleich hundertweis erblüht und ertrunken, und das Meer war ein machtvoller Seufzer, es schlug, schlug und rannte und rollte gegen die Erde an, daß seine Lefzen trieften von weißem Schaum.

Verräter! Wenn euch nichts mehr half, dann half die Schmähung. Dann wußtet ihr plötzlich, was euch an mir verdächtig war, Wasser und Schleier und was sich nicht festlegen läßt. Dann war ich plötzlich eine Gefahr, die ihr noch rechtzeitig erkanntet, und verwünscht war ich und bereut war alles im Handumdrehen. Bereut habt ihr auf den Kirchenbänken, vor euren Frauen, euren Kindern, eurer Öffentlichkeit. Vor euren großen großen Instanzen wart ihr so tapfer, mich zu bereuen und all das zu befestigen, was in euch unsicher geworden war. Ihr wart in Sicherheit. Ihr habt die Altäre rasch aufgerichtet und mich zum Opfer gebracht. Hat mein Blut geschmeckt? Hat es ein wenig nach dem Blut der Hindin geschmeckt und nach dem Blut des weißen Wales? Nach deren Sprachlosigkeit?
Wohl euch! Ihr werdet viel geliebt, und es wird euch viel verziehen. Doch vergeßt nicht, daß ihr mich gerufen habt in die Welt, daß euch geträumt hat von mir, der anderen, dem anderen, von eurem Geist und nicht von eurer Gestalt, der Unbekannten, die

auf euren Hochzeiten den Klageruf anstimmt, auf nassen Füßen kommt und von deren Kuß ihr zu sterben fürchtet, so wie ihr zu sterben wünscht und nie mehr sterbt: ordnungslos, hingerissen und von höchster Vernunft.

Warum sollt ich's nicht aussprechen, euch verächtlich machen, ehe ich gehe.

Ich gehe ja schon.

Denn ich habe euch noch einmal wiedergesehen, in einer Sprache reden gehört, die ihr mit mir nicht reden sollt. Mein Gedächtnis ist unmenschlich. An alles habe ich denken müssen, an jeden Verrat und jede Niedrigkeit. An denselben Orten habe ich euch wiedergesehen; da schienen mir Schandorte zu sein, wo einmal helle Orte waren. Was habt ihr getan! Still war ich, kein Wort habe ich gesagt. Ihr sollt es euch selber sagen. Eine Handvoll Wasser habe ich über die Orte gesprengt, damit sie grünen mögen wie Gräber. Damit sie zuletzt hell bleiben mögen.

Aber so kann ich nicht gehen. Drum laßt mich euch noch einmal Gutes nachsagen, damit nicht so geschieden wird. Damit nichts geschieden wird.

Gut war trotzdem euer Reden, euer Umherirren, euer Eifer und euer Verzicht auf die ganze Wahrheit, damit die halbe gesagt wird, damit Licht auf die eine Hälfte der Welt fällt, die ihr grade noch wahrnehmen könnt in eurem Eifer. So mutig wart ihr und mutig

gegen die anderen – und feig natürlich auch und oft mutig, damit ihr nicht feige erschient. Wenn ihr das Unheil von dem Streit kommen saht, strittet ihr dennoch weiter und beharrtet auf eurem Wort, obwohl euch kein Gewinn davon wurde. Gegen ein Eigentum und für ein Eigentum habt ihr gestritten, für die Gewaltlosigkeit und für die Waffen, für das Neue und für das Alte, für die Flüsse und für die Flußregulierung, für den Schwur und gegen das Schwören. Und wißt doch, daß ihr gegen euer Schweigen eifert und eifert trotzdem weiter. Das ist vielleicht zu loben.
In euren schwerfälligen Körpern ist eure Zartheit zu loben. Etwas so besonders Zartes erscheint, wenn ihr einen Gefallen erweist, etwas Mildes tut. Viel zarter als alles Zarte von euren Frauen ist eure Zartheit, wenn ihr euer Wort gebt oder jemand anhört und versteht. Eure schweren Körper sitzen da, aber ihr seid ganz schwerelos, und eine Traurigkeit, ein Lächeln von euch können so sein, daß selbst der bodenlose Verdacht eurer Freunde einen Augenblick lang ohne Nahrung ist.
Zu loben sind eure Hände, wenn ihr zerbrechliche Dinge in die Hand nehmt, sie schont und zu erhalten wißt, und wenn ihr die Lasten tragt und das Schwere aus einem Weg räumt. Und gut ist es, wenn ihr die Körper der Menschen und der Tiere behandelt und ganz vorsichtig einen Schmerz aus der Welt schafft. So Begrenztes kommt von euren Händen, aber manches Gute, das für euch einstehen wird.

Zu bewundern ist auch, wenn ihr euch über Motoren und Maschinen beugt, sie macht und versteht und erklärt, bis vor lauter Erklärungen wieder ein Geheimnis daraus geworden ist. Hast du nicht gesagt, es sei dieses Prinzip und jene Kraft? War das nicht gut und schön gesagt? Nie wird jemand wieder so sprechen können von den Strömen und Kräften, den Magneten und Mechaniken und von den Kernen aller Dinge.
Nie wird jemand wieder so sprechen von den Elementen, vom Universum und allen Gestirnen.
Nie hat jemand so von der Erde gesprochen, von ihrer Gestalt, ihren Zeitaltern. In deinen Reden war alles so deutlich: die Kristalle, die Vulkane und Aschen, das Eis und die Innenglut.
So hat niemand von den Menschen gesprochen, von den Bedingungen, unter denen sie leben, von ihren Hörigkeiten, Gütern, Ideen, von den Menschen auf dieser Erde, auf einer früheren und einer künftigen Erde. Es war recht, so zu sprechen und so viel zu bedenken.
Nie war so viel Zauber über den Gegenständen, wie wenn du geredet hast, und nie waren Worte so überlegen. Auch aufbegehren konnte die Sprache durch dich, irre werden oder mächtig werden. Alles hast du mit den Worten und Sätzen gemacht, hast dich verständigt mit ihnen oder hast sie gewandelt, hast etwas neu benannt; und die Gegenstände, die weder die geraden noch die ungeraden Worte verstehen, bewegten sich beinahe davon.
Ach, so gut spielen konnte niemand, ihr Ungeheuer!

Alle Spiele habt ihr erfunden, Zahlenspiele und Wortspiele, Traumspiele und Liebesspiele.

Nie hat jemand so von sich selber gesprochen. Beinahe wahr. Beinahe mörderisch wahr. Übers Wasser gebeugt, beinah aufgegeben. Die Welt ist schon finster, und ich kann die Muschelkette nicht anlegen. Keine Lichtung wird sein. Du anders als die anderen. Ich bin unter Wasser. Bin unter Wasser.

Und nun geht einer oben und haßt Wasser und haßt Grün und versteht nicht, wird nie verstehen. Wie ich nie verstanden habe.

Beinahe verstummt,
beinahe noch
den Ruf
hörend.

Komm. Nur einmal.
Komm.

Figuren und Handlungen dieses Buches sind frei erfunden. Alle Ähnlichkeiten mit lebenden oder toten Personen sind zufällig.

›Jugend in einer österreichischen Stadt‹ wurde zuerst in einer bibliophilen Ausgabe von Horst Heiderhoff, Wülfrath Rheinland, veröffentlicht, 1961

INHALT

QUEEN MARY
COLLEGE
LIBRARY